MARCO POLO

PARIJS

Reizen met **Insider Tips**

Waltraud Pfister-Bläske en Gerhard Bläske

VAN REEMST

Uitgeverij Unieboek | Het Spectrum bv
Houten – Antwerpen

PARIJS

> SYMBOLEN

Insider Tip **MARCO POLO INSIDER TIPS**
Het allerbeste in elke categorie

★ **MARCO POLO HIGHLIGHTS**
Alles wat u over Parijs moet weten

MOOI UITZICHT

DRAADLOOS INTERNET

▶▶ **IN TREK BIJ JONGEREN**

> PRIJSKLASSEN

HOTELS
€€€ vanaf 120 euro
€€ 75–120 euro
€ tot 75 euro
De prijzen gelden voor twee personen in een tweepersoonskamer zonder ontbijt

RESTAURANTS
€€€ vanaf 45 euro
€€ 30–45 euro
€ 15–30 euro
De prijzen gelden voor een diner met voor-, hoofd- en nagerecht, zonder wijn

> KAARTEN

[108 A1] Bladzijdenummer coördinaten voor stadsplattegrond Parijs en de arrondissementskaart
[0] Buiten de kaart

Ook van bezienswaardigh[eden] die niet op de plattegrond staan, worden in de tekst coördinaten gegeven.
OV-plattegrond op de binn[en]kant van de achterflap

INHOUD

> SCENE

Blz. 12–15: Trends, ontdekkingen, hotspots! Wat wanneer en waar in Parijs te doen is, kunt u op deze bladzijden lezen

> 24 UUR

Blz. 100/101: Een en al actie en unieke belevenissen in 24 uur Parijs! MARCO POLO heeft een bijzondere dag in Parijs voor u uitgestippeld

> LOW BUDGET

Veel doen voor weinig geld! Waar u voor een klein bedrag van iets bijzonders kunt genieten of een koopje kunt vinden:

Exposities in het stadhuis blz. 28 | Drankjes betalen, dan is de couscous gratis blz. 64 | Merkkleding in het 6de arrondissement blz. 73 | Bar en cabaret op het station blz. 82 | Jongerenhotel in een stadspaleis blz. 92

> GOED OM TE WETEN

Ontspannen & genieten blz. 38 | Boeken & films blz. 45 | Blogs & podcasts blz. 53 | Paarden – rugby – tennis blz. 54 | Eetpaleizen blz. 60 | Specialiteiten blz. 66 | Tot in de kleine uurtjes blz. 80 | Luxehotels blz. 90

OP HET OMSLAG

Flaneren en ontspannen in het centrum blz. 46
Uitgaan bij de Bastille blz. 40

ONTDEK PARIJS

Bezienswaardigheden, plaatsen en ervaringen die u niet aan u voorbij mag laten geen

De Highlights staan aangegeven op de kaart achter op het boek

1 Eiffeltoren
Pas wanneer u hem hebt gezien, bent u echt in Parijs aangekomen (bladzijde 25)

2 Musée Quai Branly
Dit museum voor niet-Europese kunst kan zich verheugen in een zeer grote populariteit (bladzijde 28)

3 Arc de Triomphe
Vanaf het op een na bekendste visitekaartje van de stad kunt u de Champs-Élysées en elf andere avenues zien liggen (bladzijde 31)

4 Musée du Louvre
In het grootste museum ter wereld zou u weken kunnen doorbrengen (bladzijde 33)

5 Musée d'Orsay
Indrukwekkende schilderijen van impressionisten in een prachtig verbouwd station in belle-époquestijl (bladzijde 35)

6 Place des Vosges
Het betoverende oude plein ligt midden in de levendige Marais (bladzijde 43)

7 Île de la Cité
Dit Seine-eiland met zijn chique winkels en cafés nodigt – net als het naburige Île Saint-Louis – uit tot rondslenteren en flaneren (bladzijde 44)

> DE BESTE MARCO POLO HIGHLIGHTS

8 Jardin du Luxembourg
In dit veel bezongen park in het hart van de stad kunt u helemaal tot rust komen (bladzijde 46)

9 Notre-Dame
Deze wereldberoemde, 800 jaar oude kathedraal is een indrukwekkend staaltje van gotische bouwkunst (bladzijde 46)

10 Julien
Savoureren in een schitterend belle-époque-interieur. Dit is Parijs op zijn glorierijkst (bladzijde 59)

11 Rue du Faubourg Saint-Honoré
In deze eindeloos lange winkelstraat, waar geen modekoning ontbreekt, vindt u alles wat een modebewust hart sneller doet kloppen (bladzijde 74)

12 Le Fumoir
Deze bar in de nabijheid van het Louvre met zijn elegante grootstedelijke flair is op elk uur van de dag of de avond een bezoek waard (bladzijde 79)

13 Saint-Germain-des-Prés
Deze voormalige schrijversbuurt is sinds enige tijd weer ontmoetingsplaats voor de internationale jetset (bladzijde 94)

14 Montmartre
Op de heuvel der kunstenaars staat hoog boven de stad de verblindend witte basiliek Sacré-Cœur (bladzijde 96)

Saint-Germain, Rue de l'Ancienne Comédie

INLEIDING

> Er is geen andere wereldstad die zo prachtig is en zoveel historische gebouwen en belangrijke musea bezit. Parijs is een multiculturele stad die sinds jaar en dag intellectuelen en kunstenaars aantrekt. Bovendien is de stad een symbool van elegantie en levenskunst. De Franse hoofdstad is er uitstekend in geslaagd zijn opmerkelijke flair te bewaren. Deze is terug te vinden op de boulevards, maar ook in de *quartiers*, waar het leven vaak nog een haast dorps karakter heeft. Laat u zich erdoor overtuigen en geniet op een van de vele uitnodigende Parijse terrassen van het Franse savoir-vivre.

> Stad van de liefde, de mode, de gastronomie en de kunst, maar ook de lichtstad. Parijs was altijd al een metropool waarvoor alleen het beste goed genoeg was, een stad van superlatieven. Sneller, mooier, groter, glanzender dan andere steden. Zo moest de Pruisische koning Frederik de Grote, die toch bekendstond om zijn trots, toegeven dat hij niet zo arrogant was om te beweren dat zijn hoofdstad Berlijn het tegen Parijs kon opnemen. U hoeft alleen maar op een decemberavond langs de door 135.000 gloeilampen verlichte, 2,5 km lange Boulevard des Champs-Élysées te slenteren of in de altijd levendige studenten- en uitgaansbuurt Saint-Germain-des-Prés vanaf een terras de kleurige drukte gade te slaan om door het virus van de stad te worden aangestoken.

Een eerste overzicht krijgt u vanaf het uitzichtplatform (3 euro) op de zesde verdieping van het Centre Georges Pompidou. U bent hier midden in het centrum van Parijs en hoog genoeg om de gehele huizenzee te kunnen overzien. De stad strekt zich als een opengeslagen geschiedenisboek beneden u uit. Aan uw voeten drijft de kleurige mobiel van de *Stravinskyfontein* waterwerken aan. Als u opkijkt, rijzen de torens van de beroemde kathedraal *Notre-Dame* in uw blikveld op. Hij staat op het *Île de la Cité,* de eigenlijke bakermat van de stad, waar zich in de 3de eeuw v.C. de Parisii vestigden.

> Parijs: meer dan alleen gebouwen en musea

Een klein stukje daarvoor tekenen zich de machtige torens van de voormalige gevangenis de *Conciergerie* af. Nog verder naar voren, iets naar rechts, strekt zich het enorme complex van het *Louvre* uit, het voormalige koninklijk paleis, dat nu het grootste museum ter wereld herbergt. Rechts daarachter fonkelt de gouden koepel van de *Dôme des Invalides,* waar Napoleon zijn laatste rustplaats

De vroeggotische Saint-Denisbasiliek met schitterend gekleurde glas-in-loodramen

heeft gevonden. Niet ver vandaar verheft zich het symbool van de stad, de *Eiffeltoren*. Geheel rechts ten slotte, in het uiterste westen, reiken de wolkenkrabbers van *La Défense,* het grootste kantorencomplex van Europa, naar de hemel. Als u zich nog verder naar rechts buigt en in noordelijke richting kijkt, ziet u hoe de witglinsterende *Sacré-Cœur*-kerk het hoogste punt van de vroegere kunstenaarsheuvel Montmartre bekroont.

Al vele eeuwen lang is Parijs het levendige politieke, economische en culturele middelpunt van Frankrijk en een van de grootste metropolen van de wereld. De stad, die vrijwel altijd zetel van de koning en de regering is geweest, was met zijn vele hogescholen sinds de middeleeuwen geestelijk centrum van Europa, woon- en werkplaats van talloze kunstenaars, schrijvers en architecten en steeds weer een bron van onrust en opstand. Parijs was het toneel van vele revoluties. De bekendste, de Franse Revolutie uit 1789, werd met haar devies 'Vrijheid, Gelijkheid, Broederschap' zelfs symbool van de strijd tegen de onderdrukking, hoewel de bevochten rechten vooral de burgers en zeker niet de onderste bevolkingslagen ten goede kwamen. De Franse Revolutie werd desondanks het lichtend baken voor vrijheidsbewegingen in vele landen.

> Boulevards en oude steegjes, terrassen en parken

Stakingen en demonstraties komen in Parijs nog altijd vaak voor en ook al hebben ze geen wereldschokkende uitwerking meer, toch is elke Franse regering op haar hoede voor de mobilisatie van het volk. De problemen van deze reusachtige bevolkingsconcentratie – in Groot-Parijs wonen maar liefst 11 miljoen mensen – zijn over het algemeen vergelijkbaar met die van andere steden van deze grootte: enorme verkeers- en milieuproblemen, waaraan Parijs bijna ten onder dreigt te gaan. Afbraak ten behoeve van luxeappartementen en buitensporige huurprijzen verdrijven sociaal zwakkeren en immigranten steeds vaker naar de trieste woonkazernes in de buitenwijken.

Maar de stad heeft ondanks alle revoluties, politieke omwentelingen en crises nooit iets van zijn betoverende uitwerking verloren. Wat is eigenlijk de oorzaak van die bijzondere atmosfeer? Voor de een zijn het de grote boulevards, waarover u fantastisch kunt flaneren. Anderen slenteren door de Rue du Faubourg Saint-Honoré met zijn luxueuze winkels of doen inkopen in wereldberoemde warenhuizen als de Galeries Lafayette en de Printemps, die vooral in de decembermaand hun best doen om met opvallende etalages de aandacht te trekken. Weer anderen bezoeken de talrijke musea van wereldfaam, zitten op een caféterras of in een van de vele parken – of laten zich meevoeren met de drukte.

> Tolerant, multicultureel en creatief

Ook het oude Parijs, het kleinsteedse, vaak dorpse, onopgesmukte Parijs bestaat nog. Leuke straatjes, scheefgezakte huisjes, kleine cafés en gezellige restaurants, winkels met kleurige uitstallingen en de bijbehorende vrolijke drukte, de hectiek waarmee verse koopwaar wordt afgeleverd, en de fascinerende markten met hun kleurrijke kramen vol fruit, groenten, allerlei soorten kaas, worst, vlees en gebak, met kooplieden die hun waren vaak luidkeels aanprijzen.

De bevolking van de stad is altijd een bont samenraapsel van mensen van uiteenlopende herkomst geweest. Ze kwamen uit Bretagne, Auvergne, de Elzas en uit Baskenland, op zoek naar een beter leven, en verrijkten de stad, de Elzassers bijvoorbeeld met hun brasserieën. Later kwamen de Afrikanen, die tegenwoordig aan de Goutte d'Or op zondag hun prachtige bonte markt houden, en de Chinezen, die zich rondom de Place d'Italie vestigden en daar hun eigen markten, winkels en restaurants hebben geopend.

Parijs is zowel multicultureel als tolerant. Het is een stad die politieke vluchtelingen, revolutionairen als Karl Marx en Lev Trotski, maar ook vluchtelingen voor de nazidictatuur onderdak heeft geboden. Ook kunstenaars zijn altijd met open armen ontvangen. Het is geen toeval dat belangrijke stromingen binnen de schilderkunst, zoals het impressionisme en het kubisme, hier hun oorsprong hadden. Schilders als Auguste Renoir, Vincent van Gogh en Pablo Picasso, schrijvers als Heinrich Heine, Voltaire, Victor Hugo, Honoré de Balzac, Charles Baudelaire, Marcel Proust, Ernest Hemingway en Jean-Paul Sartre woonden en werkten hier. De kunstenaars ontmoetten elkaar in nu beroemde cafés en brasserieën aan de linkeroever van de Seine, de *rive gauche.* Daar, rond de universiteit de Sorbonne, ligt sinds mensenheugenis het geestelijk centrum van de stad. Veel van deze trefpunten, zoals *Le Procope, De Flore* of de thuishaven van de existentialisten, *Les Deux Magots* in het Quartier Latin, en de *Closerie des Lilas* in de vroegere kunstenaarswijk Montparnasse, bestaan nog altijd.

Voor toeristen zijn deze cafés welkome rustpunten in de stad die zo vol attracties is, die niet ophoudt te veranderen – als een grillige mooie vrouw die zich steeds van een andere kant laat zien. Nu eens serieus, dan weer uitgelaten, nu eens zondig, dan weer onschuldig en ernstig, oud of juist heel jong en fris. Het oude, waaronder helaas dikwijls het onvervangbare, wordt genadeloos gesloopt. Nieuwe en ambitieuze bouwwerken, die vaak een politieke boodschap uitdragen, verschijnen. 'Men kan geen grote politiek bedrijven zonder grote architectuur,' zei de vroegere president François Mitterrand. Onder zijn bewind verrezen de Bibliothèque Nationale de France in het oosten, de wijk Bercy, de grote triomfboog in La Défense en de glazen piramide voor het Louvre. De Parijzenaar, die het gezag van nature wantrouwt, reageert misprijzend en moppert weliswaar, maar na enige tijd wordt veel als vanzelfsprekend aanvaard, zoals ooit de aanvankelijk omstreden Eiffeltoren. De stad ontwikkelt zich voortdurend en vernieuwt zich in zekere zin zelf. Op zoek naar lagere huren en op de vlucht voor de commercie zijn jongeren, kunstenaars en anderen terechtgekomen in wijken die een paar jaar geleden nog het territorium van sociaal zwakkeren en immigranten waren. Op deze wijze zijn in de stad nieuwe trendy wijken ontstaan.

Prachtig stadspaleis uit de 18de eeuw: het Hôtel de la Marine aan de Place de la Concorde

Voor bezoekers van Parijs zijn de bezienswaardigheden, musea, parken en de traditionele buurten, de *quartiers,* gemakkelijk te bereiken. Het stadsgebied is niet zo groot, overzichtelijk ingedeeld in 20 arrondissementen en dankzij metro en bus goed ontsloten. Laat u inspireren door deze veelzijdige oude en toch altijd weer jonge stad!

TRENDGIDS PARIJS

De laatste ontdekkingen en hotspots! Onze trendwatcher laat u zien wat in is

Yoan Cardinal zou geen echte Fransman zijn als hij niet van eten en feestvieren hield. Parijs is zijn vaderstad, en zo vaak mogelijk keert hij van Lyon, waar hij studeert, terug naar de hoofdstad. Het liefst doorkruist hij samen met vrienden de straten van Parijs, op zoek naar culturele hoogtepunten. De hobbyfotograaf legt daarbij bovendien de nieuwste trends vast met zijn camera.

WELTERUSTEN

Slapen voor weinig geld

Logeren in een droompaleis zonder slapeloze nachten over een dreigende creditcardafrekening: Parijs telt enkele verscholen juweeltjes die design en charme te bieden hebben, maar relatief goedkoop zijn. In hotel *Les Degrés de Notre Dame* zijn de onderling verschillende kamers met antiek ingericht; twee ervan bieden zelfs uitzicht op de Notre-Dame *(Rue des Grands Degrés 10, http://lesdegreshotel.monsite.wanadoo.fr)*. Fresco's, balkons, hemelbedden en een uitstekende ligging worden geboden door het *Familia Hôtel*, dat in een 19de-eeuws huis is gevestigd *(Rue des Écoles 11, www.paris-hotel-familia.com)*. *Hôtel Le Quartier Bercy Square* is daarentegen heel modern, met gedessineerd behang en witte designmeubels *(Bd. de Reuilly 33, www.lequartierhotelbs.com)*. Het *Mama Shelter* heeft een onderscheiding gekregen als beste designhotel. Absoluut terecht! De kamers, met details als Batmanlampen, zijn supercool. En dat komt niet in het minst doordat ontwerper Philippe Starck een vinger in de pap heeft gehad *(Rue de Bagnolet 109, www.mamashelter.com*, foto).

ISCENE

▶▶ TRENDY QUARTIER PIGALLE

De rosse buurt in een nieuw licht
Het gebied op de grens van het 9de en 18de arrondissement is van oudsher bekend om etablissementen als de Moulin Rouge, maar ontwikkelt zich snel tot een van de meest trendy buurten van de stad. Tussen striptenten en sekstheaters verschijnen steeds meer gelegenheden die het smoezelige imago wegpoetsen. Een van de innoverendste adressen is *Le Bout*. In dit kleine theater (40 plaatsen) worden moderne stukken opgevoerd *(Rue Jean-Baptiste Pigalle 62, www.lebout.com)*. De *Boutique Detaille 1905* creëert op basis van eeuwenoude recepten verleidelijke parfums en hoogwaardige cosmetica *(Rue Saint-Lazare 10, www.detaille.com*, foto). Van rendez-voushotel tot blikvanger: elk van de 20 kamers van *Hôtel Amour* is door kunstenaars en designers verschillend ingericht *(Rue Navarin 8, www.hotelamourparis.fr)*.

▶▶ MET EEN GOED GEWETEN

Modieuze alternatieven
In de modestad Parijs komt ook het geweten niet te kort: ethische mode is in. En wat maatschappelijk en ecologisch verantwoord is, doet hier niet denken aan geitenwollen sokken, maar ziet er chic uit. Ook kenners laten zich daarvan graag overtuigen. Op de meerdaagse *Ethical Fashionshow* komen regelmatig meer dan 100 modemakers en nog veel meer modekenners bij elkaar *(www.ethicalfashionshow.com)*. *Céline Faizant* heeft het vak geleerd bij de heel groten, maar na Chanel en Lacroix ontwerpt ze tegenwoordig uitsluitend nog eerlijke mode. Haar creaties zijn verkrijgbaar bij *Filambule (Rue Mandar 12, www.celinefaizant.fr)*. Ook de collecties van *Cruselita (onder andere verkrijgbaar bij Trait d'Éthique, Rue Mademoiselle 7, www.cruselita.com)* en *Ethos Paris (www.ethosparis.us*, foto) combineren glamour met een goed geweten.

▶▶NOUVELLE CHANSON

Frankrijks nieuwe muziekscene

Adieu elektro – een nieuwe generatie zangeressen vertrouwt op stem en gitaar en brengt chansons op Parijse podia. De stem van *Claire Denamur* doet denken aan die van Marilyn Monroe *(www.clairedenamur.com*, foto). Een andere rijzende ster aan het chansonfirmament is *Karimouche (www.myspace.com/carimaamarouche)*. In Parijs heeft ze onder meer opgetreden in *La Boule Noire (Bd. Rochechouart 120, www.laboule-noire.fr)*. Ook in het verbouwde treinstation *La Flèche d'Or* staan chansons op het programma *(Rue de Bagnolet 102, www.myspace.com/flechedor)*.

▶▶ COCOONEN

Eten in huiselijke sfeer

De Parijzenaars ontvluchten de grotestadsstress en zoeken de beslotenheid van hun huis. Dit fenomeen heet cocoonen. Om de mensen uit hun huis te lokken bieden sommige restaurants nu een huiskamersfeer. Het concept lijkt succes te hebben. *Chez Clément* heeft meteen maar enkele restaurants geopend *(zoals Pl. Saint-André-des-Arts 9, www.chezclement.com*, foto). In *L'Appart* eet u tussen een bibliotheek en een open haard *(Rue du Colisée 11, www.l-appart.abcsalles.com)*. In restaurant *Le Petit Keller* staan maar een paar tafeltjes, zodat de gasten zich al snel als onder vrienden voelen *(Rue Keller 13, www.lepetitkeller.com)*.

▶▶AMBITIEUS

Eigentijdse kunst

De bezoekersaantallen van de kunstbeurzen lopen terug en enkele exposities zijn recentelijk afgezegd. Het is daarom des te verheugender dat een nieuwe beurs het daglicht heeft gezien. *Cutlog* richt zich op nieuw talent en het soort galeriehouders *(www.cutlog.org*, foto) dat zich thuis voelt in de Rue Louise Weiss. Deze straat – vol eigentijdse galeries met installaties, moderne foto's en digitale kunst – staat synoniem voor hedendaagse kunst in Parijs *(www.louise13.fr)*. Breng in deze straat ook een bezoek aan *gb agency*, meer een innovatief kunstlaboratorium dan een galerie *(Rue Louise Weiss 20, www.gbagency.fr)*, en *Air de Paris*, bekend om zijn poptrashy imago *(Rue Louise Weiss 32, www.airdeparis.com)*.

ACTIE!

Ver van kaskrakers en megabioscopen

Steeds meer bioscopen richten zich op onafhankelijke films. Het alternatieve *Max Linder Panorama* vertoont films in de originele versie *(Bd. Poissonnière 24, www.maxlinder.com)*. *L'Arlequin* vult de programma's van de mainstreambioscopen niet alleen aan met bijzondere films, maar ook met speciale service, zoals ondertitelde films voor doven en slechthorenden. Ook voorpremières, forumdiscussies, premièrefeesten en dergelijke vinden er plaats *(Rue de Rennes 76, www.arlequin.cine.allocine.fr*, foto). En wie altijd al van een eigen bioscoop heeft gedroomd, kan terecht in Club Marbeuf – in elk geval voor een avond. Filmmakers kunnen de kleine bioscoopzaal voor 52 personen huren en hun eigen films vertonen *(Rue Marbeuf 38, www.club-marbeuf.com)*.

SPORT IN DE STAD

Urban golf en parkour

Zodra het weer het toelaat, wordt de metropool Parijs een stedelijk sportterrein. Wie altijd heeft gedacht dat golf een exclusieve sport was, wordt hier uit de droom geholpen. Kleine witte balletjes worden door smalle steegjes en over kerkpleinen geslagen – de straten zijn een golfbaan. Urban golf, streetgolf of crossgolf heet dat. *Le 19ième Trou* (de 19de hole) organiseert het *Tournier Paris Pro Tour Master Classics (www.19mtrou.com*, foto). Urban golfers zijn ook aan het werk te zien in het *Forum des Halles (Porte Berger 101, http://en.forumdeshalles.com)*; een actuele agenda is te vinden op *www.urbangolf.fr*. Hier zijn ook de juiste streetgolfershirts te vinden. Hoog aangeschreven is ook nog altijd de door David Belle ontwikkelde sport 'parkour'. Op elegante wijze overwinnen de traceurs – zo heten de deelnemers aan deze sport – bij hun urbane hindernisloop ruw terrein, muren en daken *(http://kyzr.free.fr/davidbelle)*.

> AAN DE SEINE EN IN DE METRO

Het leven in Parijs is de moeite waard – dat toont de stad elke dag opnieuw

CHAMPS-ÉLYSÉES

Internationale bedrijven vechten om een plekje aan deze prachtige boulevard, die vaak de mooiste avenue ter wereld wordt genoemd. Het eerste deel rond de Arc de Triomphe is het domein van de luxe merken: Guerlain, Cartier, Hugo Boss. De ster onder de vlaggenschepen en een toeristische topattractie is de eind 2005 geopende zaak van de lederwarenproducent Louis Vuitton. Een speciaal ontworpen 'wandeling' door het bedrijf voert langs de terrassen, spectaculaire licht- en video-installaties, hedendaagse kunstwerken en een enorm, 20 m hoog atrium met 1900 stalen stangen, die als ijspegels aan het plafond hangen. Iets verderop heeft Nespresso een 1700 m² groot filiaal geopend met een bar voor gehaaste bezoekers, een lounge en een viproom. Wat lager, vlak voor de haute-couturestraat Ave-

Foto: Café de Flore in Saint-Germain-des-Prés

TREF-WOORDEN

nue Montaigne, verheft zich het geheel in wit en zwart opgetrokken paradepaardje van de sportartikelengigant Adidas. Concurrent Nike is hier al langer gevestigd. Een paar meter verderop heeft Citroën een avantgardistische showroom van glas en staal geopend. Ook Renault, Toyota en Daimler gebruiken deze toplocatie om prototypes, formule 1-wagens en spectaculaire installaties te tonen en gasten te ontvangen.

LES HALLES

Waar vroeger de legendarische markthallen stonden, ziet u nu een schandvlek voor de stad, die vooral 's nachts een centrum voor drugshandel is. Hier gaat echter verandering in komen. Het grotendeels verloederde, vier verdiepingen tellende winkelcentrum, dat zich uitstrekt rond het 13 m in de grond verzonken 'gat van Parijs', moet geheel worden vernieuwd. Daarbij moet rekening worden gehouden met de bijna 1 miljoen reizigers die het verkeersknooppunt iedere dag gebruiken. Het hele complex zal worden overdekt met een enorm, halftransparant dak. Het project heeft echter grote vertraging opgelopen. Met de werkzaamheden wordt waarschijnlijk pas in de loop van 2010 begonnen. Het complex zal vermoedelijk niet voor 2013 gereedkomen.

METRO

De Parijse metro is niet de oudste ondergrondse ter wereld, maar wel die met het dichtste lijnennet. Geen enkele bestemming in Parijs mag verder dan 600 m van een van de bijna 300 stations vandaan liggen. De metrostellen rammelen niet al te snel over hun rails, maar gezien de dagelijkse verkeerschaos boven de grond, is de per dag 5 miljoen passagiers vervoerende metro, die al in 1900 werd geopend, een aantrekkelijk vervoermiddel. Hier en daar herinneren nog mooie art-nouveau-ingangen van de hand van Hector Guimard, bijvoorbeeld van het station Abbesses, aan de begintijd van de *métropolitaine*. Gelikt en ultramodern is de geheel zonder bestuurder functionerende lijn 14.

MODERNE KUNST

Er zijn maar weinig steden ter wereld die over zoveel musea beschikken als Parijs. De hedendaagse kunst staat tot dusver echter wat in de schaduw – ook omdat kunstenaars zich in de dure stad nauwelijks een leven kunnen veroorloven. Dat gaat veranderen. Met de kunsttentoonstelling *Fiac*, die ieder jaar in oktober wordt gehouden, en exposties in het Palais de Tokyo wordt moderne kunst voor het voetlicht gebracht. Een nieuw cultuurcentrum moet nu ook aan de kunstenaars zelf een thuishaven bieden. In het *Centquatre* (*www.104.fr*), een gigantische, met een glazen dak overwelfde hal uit de 19de eeuw, worden woningen en ateliers voor kunstenaars, winkels, een restaurant, een café en concertzalen ingericht.

ZEN OP STRAAT

Of het nu om Japanse restaurants gaat, die als paddenstoelen uit de grond rijzen, of om trendy winkels en warenhuizen, de Parijzenaars willen zich 'zen' voelen, vermoedelijk om te ontsnappen aan de grotestadshectiek. De nieuwste ontwikkeling: in Parijs wonende Japanners gaan op vrijwillige basis, in aanvulling op de stadsreiniging, de straat schoonvegen. De in groene vesten gehulde Green Birds hopen hiermee het 'Parijssyndroom' te bestrijden, de cultuurschok die veel Japanners beleven als ze in de stad van hun dromen aankomen en dan ontdekken dat die minder schoon is dan de Louis Vuittonreclame in Japan had willen doen geloven.

SEINE

In de afgelopen decennia hebben sterke vervuiling en Parijse stadsplanologen met hun aanleg van meerbaanssnelwegen langs de oever de rivier veel schade toegebracht. Tegenwoordig is het inzicht gerijpt dat de Seine zijn oude betekenis moet terugkrijgen. Sinds 2002 wordt de

De promenade langs de oever van de Seine heeft er in Parijs altijd bij gehoord

snelweg langs de rechteroever van de rivier *(rive droite)* elk jaar in augustus afgesloten. In het kader van de actie Paris Plage (Strand Parijs) wordt dan een dikke laag zand aangebracht, worden palmen neergezet en ligstoelen verhuurd, kraampjes opgesteld en concerten gegeven. Sinds 2006 ligt er ook op de linkeroever *(rive gauche)* een strand en er zijn nieuwe scheepslijnen gepland. Bovendien is er een zwembad gemaakt in een aan de voet van de Bibliothèque Nationale verankerde boot, de *Piscine Josephine Baker*.

VÉLIB

Parijs stond niet bepaald bekend als fietsmetropool. Bij verkeersknooppunten zoals dat van de Arc de Triomphe lijkt het bijna levensgevaarlijk om zich op de fiets in de verkeersdrukte te wagen. Maar hier komt nu verbetering in. Het gemeentebestuur heeft ruim 1400 fietsverhuurpunten ingericht, waar meer dan 20.000 *vélos* kunnen worden gehuurd *(www.velib.paris.fr)*. De grijze rijwielen, met drie versnellingen en een mand voorop, zijn inmiddels niet meer uit het stadsbeeld weg te denken. Het aanbod is ook interessant voor toeristen. Met een creditcard kunt u een dag- (circa 1 euro) of weekkaart (circa 5 euro) aanschaffen. Met zo'n kaart kunt u gedurende een hele dag of week een onbeperkt aantal ritten maken. Het eerste halfuur van elke rit is gratis, voor ritten van 30–60 minuten betaalt u 1 euro bij, voor 60–90 minuten 3 euro en daarna kost ieder volgend halfuur 4 euro. Vooral kortere ritjes zijn dus aantrekkelijk qua prijs. Aan te bevelen is de handige, voordelige plattegrond *Paris Vélib* (Michelinkaart nr. 61), waarop alle fietspaden staan ingetekend. Insider Tip

IN PARIJS IS ALTIJD WAT TE DOEN

De stad heeft voor elk wat wils: muziek, theater, film, sport, cultuur en parades

> Evenementen en andere festiviteiten zijn een goede gelegenheid om de Parijzenaars beter te leren kennen. Initiatieven van het nieuwe stadsbestuur hebben het toch al ruime aanbod nog uitgebreid. Veel evenementen kunt u gratis bijwonen.

FEESTDAGEN

1 januari; **tweede paasdag**; **1 mei** *(Dag van de Arbeid)*; **8 mei** *(einde Tweede Wereldoorlog)*; **Hemelvaartsdag**; **14 juli** *(nationale feestdag)*; **15 aug.** *(Maria-Hemelvaart)*; **1 nov.** *(Allerheiligen)*; **11 nov.** *(Wapenstilstand 1918)*; **25 dec.**
Op de belangrijkste feestdagen zijn de meeste musea gesloten, maar veel winkels en restaurants zijn gewoon open, net als bioscopen en theaters.

EVENEMENTEN

Februari
Chinees Nieuwjaar: kleurige optocht rond de Place d'Italie (wisselende data)

Maart
Foire à la Brocante et au Jambon: grote en hoogst interessante antiekbeurs (maart/april en oktober)
RER A: Chatou-Croissy
Banlieues Bleues: eersteklas jazzfestival in Saint-Denis en andere voorsteden (tot begin april). *www.banlieuesbleues.org*

April
Marathon de Paris: start om 9.00 uur op de Champs-Élysées (laatste zondag)
Printemps des Musées: 'museumlente' met gratis toegang tot alle musea (een zondag tussen maart en mei)

Juni
Paris Jazz Festival: gratis concerten door internationale jazzgrootheden in het Parc Floral, Bois de Vincennes (elk weekend tot juli)
Concours International des Roses: klassieke concerten tussen de bloeiende rozen in het Parc de Bagatelle

> FEESTEN & EVENEMENTEN

Festival de Saint-Denis: festival voor klassieke muziek (circa vier weken vanaf eind mei). www.festival-saint-denis.fr
★ *Fête de la Musique:* op vrijwel elke hoek in de stad gratis concerten (21/22 juni)
▶▶ *Gay Parade:* optocht van homo's en lesbiennes van de Porte Dorée naar de Bastille (vierde zaterdag)

Juli
Nationale feestdag: grote militaire parade op de Champs-Élysées en vuurwerk op de Place du Trocadéro, op de avond ervoor overal volksfeesten met dans (14 juli)
Tour de France: slotetappe met de finish op de Champs-Élysées (meestal laatste zondag)
Quartier d'Été: veel mooie gratis concerten in parken en op pleinen (half juli tot half augustus)
Openluchtbioscoop: gratis voorstellingen in het Parc de la Villette (half juli tot half augustus)

Augustus
Rock en Seine: popsterren van naam treden drie dagen lang op in het park van Saint-Cloud. www.rockenseine.com

September
★ *Festival d'Automne:* 'herfstfestival' met voor een deel spectaculaire hedendaagse toneel-, muziek- en balletensceneringen (tot in december) www.festival-automne.com
Journée du Patrimoine: gratis toegang tot anders voor het publiek gesloten openbare gebouwen (3de weekend)

Oktober
Fête des Vendanges: wijnoogstfeest in Montmartre (eerste zaterdag)
Fiac: grote hedendaagsekunstbeurs (vijf dagen)
▶▶ *Nuit Blanche:* Parijs feest de hele nacht door met muziek- en kunsthappenings op soms ongebruikelijke plaatsen – zelfs in het stadhuis (meestal eerste zaterdag). www.paris.fr

> TRÈS INTÉRESSANT – DAT MOET U ZIEN!

Topattracties en kleine ontdekkingen: Parijs heeft veel meer te bieden dan Eiffeltoren en Notre-Dame

> Of u nu alleen de bekende bezienswaardigheden wilt bezoeken, op zoek bent naar de mooiste pleinen en de duurste winkels of liever in bochtige straatjes de charme van de stad wilt ontdekken – wat u van uw verblijf in Parijs maakt, hangt helemaal van uzelf af.

Om u een goed overzicht te geven, worden in het volgende hoofdstuk de 20 arrondissementen waaruit Parijs bestaat over vijf gebieden verdeeld. Kijk eerst welk gebied u het meest aanspreekt. Een goede combinatie van museumbezoek en activiteiten in de openlucht pakt meestal het best uit.

In Parijs hoeft u zich in elk geval nooit te vervelen. Om te voorkomen dat uw verkenning van de stad een gestreste aangelegenheid wordt, moet u tussendoor beslist uitrusten in een van de prachtige parken of u ontspannen in een van de vele cafés. Op deze manier kunt u de Parijse levens-

Foto: Aan de voet van de Eiffeltoren

BEZIENS-WAARDIG

stijl goed leren kennen. Bovendien zijn vaak ook de voorbijwandelende mensen een 'bezienswaardigheid'. Nog een tip voor wie opziet tegen lange wandelingen: met bus 73 kunt u van La Défense via de Arc de Triomphe, de Champs-Élysées en de Place de la Concorde tot het Musée d'Orsay een groot aantal bezienswaardigheden op een comfortabele manier en voor weinig geld aan u voorbij zien trekken.

Parijs is een stad van musea, er zijn er in totaal maar liefst 160. Ook wat de grotere musea betreft, moet u selectief te werk gaan. Wie terugschrikt voor de soms zeer omvangrijke collecties – alleen al in het Louvre moet u 17 km afleggen om alles te bekijken – kan bijvoorbeeld zijn oog eens laten vallen op een van de vele kleine stadspaleizen, die vaak ware schatkamers blijken te zijn. Denk er wel aan dat de meeste stedelijke musea op

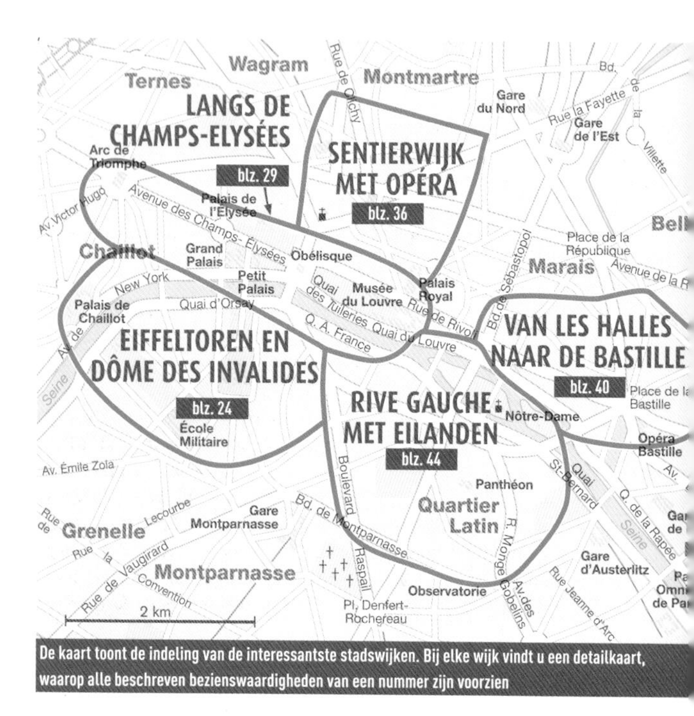

De kaart toont de indeling van de interessantste stadswijken. Bij elke wijk vindt u een detailkaart, waarop alle beschreven bezienswaardigheden van een nummer zijn voorzien

maandag en de meeste door de landelijke overheid beheerde musea op dinsdag gesloten zijn.
Met de Paris Museum Pass kunt u 60 musea en bezienswaardigheden, inclusief Versailles, bezichtigen (kaart voor twee dagen circa 32 euro, vier dagen 48 euro, zes dagen 64 euro). De kaart is (ook online) verkrijgbaar bij het Office du Tourisme, in de filialen van de Fnac en op de belangrijke metrostations. Overigens: veel musea zijn op de eerste zondag van de maand gratis toegankelijk. Voor scholieren, studenten en senioren gelden vrijwel overal kortingen. Zo hebben alle EU-burgers jonger dan 26 jaar sinds april 2009 gratis toegang tot alle staatsmusea *(musées nationaux)* in de stad *www.parismuseumpass.fr* | *www.fnac.com*

EIFFELTOREN & DÔME DES INVALIDES

> Het westen van Parijs is sinds jaar en dag in trek als woonbuurt van de bourgeoisie. Het 16de arrondissement aan de overkant van de Seine en het 7de arrondissement tussen Eiffeltoren en Dôme des Invalides behoren dan ook tot de duurste wijken van de stad. In de elegante straten, waar ook veel representatieve ambassades, ministeries en enkele mooie paleizen te vinden zijn, heerst een relatief ontspannen en rustige sfeer. Toeristen komen hier vooral om de Eiffeltoren te zien, het symbool van de stad. De beste plaats om een foto te maken is overigens aan de overkant van de Seine, vanaf het voorplein van het Palais de Chaillot, dat in zijn vleugels musea, een theater en een restaurant huisvest. Wie een drieënhalf uur durende stadsbezichtiging boekt bij Parisvision *(www.parisvision.com)* hoeft niet aan te sluiten bij de lange rij wachtenden voor de Eiffeltoren – toegang en voorkeursbehandeling zijn inbegrepen in de prijs van circa 38 euro. Of u reserveert (weken van tevoren) een tafel in een van de twee restaurants in de toren en geniet het voorrecht van een privélift: naar het *Jules Verne (zie blz. 60)* of het goedkopere restaurant *58 Tour Eiffel* op de eerste verdieping *(dag. | tel. 08–25566662 | www.restaurants-toureiffel.com | €€–€€€)*. En wie niet wil wachten en ook niet wil eten, bekijkt de toren alleen van onderaf en wandelt dan door de nabijgelegen groene gazons van de Esplanade des Invalides, aan het eind waarvan zich de Dôme des Invalides verheft, met daarin het grafmonument voor Napoleon.

1 EIFFELTOREN (TOUR EIFFEL) ★ **[116 B5]**

Zonder de Eiffeltoren zou Parijs Parijs niet zijn. Het 300 m hoge symbool van de stad was lange tijd het hoogste bouwwerk ter wereld. Het stalen monument, door Gustave Eiffel opgericht ter gelegenheid van de 100ste verjaardag van de Franse Revolutie en

MARCO POLO HIGHLIGHTS

★ Eiffeltoren
La Dame en Fer – 'de ijzeren dame' (bladzijde 25)

★ Musée Quai Branly
Dit spectaculaire museum geeft inzicht in de culturen van de wereld (bladzijde 28)

★ Arc de Triomphe
Poort ter ere van het napoleontische leger (bladzijde 31)

★ Musée du Louvre
Glazen piramide, renaissancepaleis en museum vol topstukken (bladzijde 33)

★ Musée d'Orsay
Belle-époquestation als decor voor impressionisten (bladzijde 35)

★ Centre Georges Pompidou
Futuristische buizenbouw en moderne kunst (bladzijde 40)

★ Place des Vosges
Oud koninklijk plein met moderne flair (bladzijde 43)

★ Île de la Cité
Een en al leven: de bakermat van de stad (bladzijde 44)

★ Jardin du Luxembourg
Prachtig park met paleis naar Florentijns voorbeeld (bladzijde 46)

★ Notre-Dame
Luchtbogen, waterspuwers en portalen (bladzijde 46)

de Wereldtentoonstelling van 1889, was eerst zeer omstreden. Eigenlijk zou de toren na twintig jaar worden gesloopt. Door zijn belang als weerstation en later voor de veiligheid van het luchtverkeer en als radio- en televisiemast, bleef hij staan. Vanaf het eerste platform op 115 m hoogte hebt u een geweldig uitzicht op Parijs, vanaf het bovenste, op 274 m hoogte, reikt de blik op een heldere dag tot ver in het Bekken van Parijs. Het beste zicht op de toren hebt u vanaf het *Palais de Chaillot (M 6, 9: Trocadéro). Dag. 9.30–23.45 uur, 13 juni–29 aug. 9.00–0.45 uur, trap tot 18.00 resp. 24.00 uur | lift/trap: 2de etage circa 8/6,40 euro | 3de etage circa 13/9,90 euro | Champ de Mars | 7de arr. | M 6: Bir Hakeim | www.tour-eiffel.fr*

2 INVALIDES **[117 E5–6]**

Het *Hôtel des Invalides* is, na Versailles, het grootste gebouwencomplex dat onder Lodewijk XIV werd voltooid. De Zonnekoning liet het bouwen voor de invaliden onder zijn oorlogsveteranen. Opdat de voormalige soldaten niet tot bedelen en stelen zouden vervallen, werden maximaal 3000 invaliden goed verzorgd, maar onder streng toezicht in door henzelf ingerichte werkplaatsen tewerkgesteld.

Naast de soldatenkerk vormt de barokke *Dôme des Invalides* met zijn goudglanzende koepel het hoogtepunt van het complex. Onder de koepel troont het *graf van Napoleon.* Het bijbehorende, in 1794 gestichte *Legermuseum* is een van de grootste in zijn soort ter wereld en dient tot meerdere glorie van het Franse leger. *Dag., april–sept. 10.00–18.00, okt.–maart 10.00–17.00 uur (di tot 21.00 uur) | circa 8 euro | Esplanade des Invalides | 7de arr. | M 8: La Tour-Maubourg, M 13: Varenne | www.invalides.org*

In de Dôme des Invalides met zijn in de avondzon stralende koepel rust Napoleon

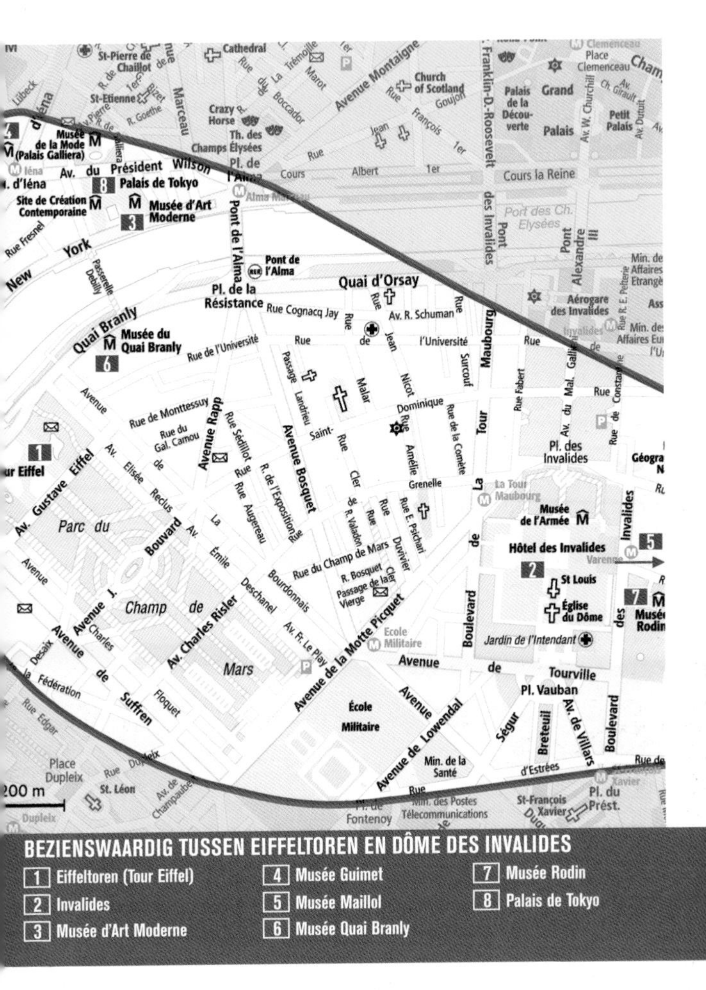

3 MUSÉE D'ART MODERNE (DE LA VILLE DE PARIS) [116 C4]

Na omvangrijke renovatiewerkzaamheden werd het museum begin 2006 heropend. Tot de collectie moderne kunst (Fernand Léger, Robert Delaunay, Pablo Picasso, Georges Braque, Amedeo Modigliani) behoren ook Raoul Dufy's *Fée electricité* (het grootste schilderij ter wereld) en *La Danse* van Henri Matisse. Vanaf het terras van het museumrestaurant (de salades zijn uitstekend) kunt u genieten van een prachtig uitzicht over de Seine en op de nabijgelegen Eiffeltoren. *Di–zo 10.00–18.00 uur (do tot 22.00 uur) | gratis toegang (wisselende tentoonstellingen circa 5–9 euro) | Av. du Président Wilson 11 | 16de arr. | M 9: Iéna | www.mam.paris.fr*

4 MUSÉE GUIMET (MUSÉE NATIONAL DES ARTS ASIATIQUES) [116 B3]

De buitengewoon omvangrijke verzameling Aziatische kunst in dit museum zorgt voor een beter begrip van het Verre Oosten en de daar heersende religies. Hier wordt een selectie getoond van kunstvoorwerpen uit India, China, Japan, Indonesië, Afghanistan en Tibet. *Wo–ma 10.00–18.00 uur | toegang circa 6,50 euro | Pl. d'Iéna 6 | 16de arr. | M 9: Iéna | www.museeguimet.fr*

> LOW BUDGET

- In de *Notre-Dame* [119 E6] wordt op zondag om 16.30 uur een gratis orgelconcert gegeven. *www.cathedraledeparis.com*
- Voor jongeren onder de 26 jaar biedt het programma *Louvre by night* [118 C4–5] elke vrijdag workshops, rondleidingen en uitvoeringen. *www.louvre.fr*
- Op *www.paris.fr/musees* vindt u informatie over musea die het hele jaar door gratis toegankelijk zijn, waaronder het Musée Carnavalet, het Maison de Victor Hugo, het Parfummuseum Fragonard, het Musée de la Vie Romantique en het Musée d'Art Moderne.
- In het *Hôtel de Ville* [119 E5], het stadhuis, zijn regelmatig goede tentoonstellingen te zien over zeer Franse onderwerpen, zoals Dalida of Edith Piaf. *Gratis toegang | Rue de Rivoli 29 | 4de arr. | tel. 01-42764040 | www.paris.fr*

5 MUSÉE MAILLOL [118 A6]

Oprichtster Dina Vierny, vroeger model van de baanbrekende kunstenaar Aristide Maillol (1861–1944), heeft zijn werk smaakvol uitgestald. Achttien vrouwenbeelden van Maillol staan overigens in de *Jardin des Tuileries*. *Wo–ma 11.00–18.00 uur | toegang circa 8 euro | Rue de Grenelle 59–61 | 7de arr. | M 12: Rue du Bac | www.museemaillol.com*

6 MUSÉE QUAI BRANLY ★ [116 C4]

Dit door de bekende architect Jean Nouvel ontworpen museum aan de voet van de Eiffeltoren biedt een uitvoerig overzicht van tal van niet-Europese culturen. De tentoongestelde voorwerpen worden zeer fraai gepresenteerd. Meer dan honderd video- en multimedia-installaties staan ter beschikking van leergierige bezoekers. Er worden ook regelmatig speciale evenementen op het gebied van toneel, dans en muziek aangeboden. *Di, wo, zo 11.00–19.00, do, vr, za 11.00–21.00 uur | toegang circa 8,50 euro | Rue de l'Université 222 | 7de arr. | M 9: Iéna, RER C: Pont de l'Alma | www.quaibranly.fr*

7 MUSÉE RODIN [117 E–F6]

Niemand minder dan de Duitse schrijver Rainer Maria Rilke, die enige tijd als privésecretaris voor hem werkte, heeft beeldhouwer Auguste Rodin ertoe aangezet zich in dit prachtige paleis te vestigen. Behalve bekende werken als *De kus* en *De kathedraal*, zijn hier ook enkele werken te zien van zijn getalenteerde leerlinge en minnares Camille Claudel. De beeldentuin met café biedt volop gelegenheid u te midden van de kunstwerken te ontspannen. Tot 2011 worden de zalen achtereenvolgens gerenoveerd. *Di–zo 10.00–17.45 uur (wo tot 20.45 uur), park tot 17.00 uur ('s zomers tot 18.45 uur) | toegang circa 6 euro (park circa 1 euro) | Rue de Varenne 77 | 7de arr. | M 13: Varenne | www.musee-rodin.fr*

Deel van de bronssculptuur *La Porte de l'Enfer* (De hellepoort) in de tuin van het Musée Rodin

8 PALAIS DE TOKYO [116 C3]

Dit is geen museum in de klassieke zin van het woord. In een voor de Wereldtentoonstelling van 1937 gebouwde hal, niet ver van de Eiffeltoren, presenteren hedendaagse kunstenaars hun soms provocerende en soms reusachtige installaties. ▶▶ Café *Tokyo Idem,* dat aan een eenvoudige bedrijfskantine doet denken, is zeer in trek bij jonge Parijzenaars. *Di–zo 12.00–24.00 uur | toegang circa 6 euro | Av. du Président Wilson 13 | 16de arr. | M 9: Iéna | www.palaisdetokyo.com*

LANGS DE CHAMPS-ÉLYSÉES

> De wereldberoemde Champs-Élysées maakt deel uit van een zichtas die bij de kleine boog van de Carrousel du Louvre begint, doorloopt naar de middelste boog van de Arc de Triomphe en een heel eind verderop, in het westen, in de grote,

LANGS DE CHAMPS-ÉLYSÉES

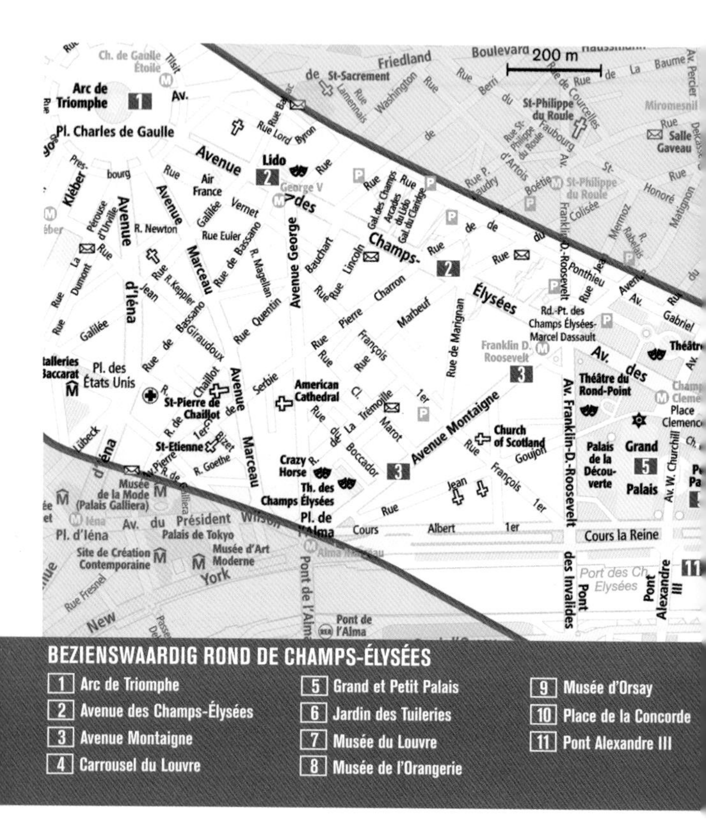

BEZIENSWAARDIG ROND DE CHAMPS-ÉLYSÉES

1 Arc de Triomphe
2 Avenue des Champs-Élysées
3 Avenue Montaigne
4 Carrousel du Louvre
5 Grand et Petit Palais
6 Jardin des Tuileries
7 Musée du Louvre
8 Musée de l'Orangerie
9 Musée d'Orsay
10 Place de la Concorde
11 Pont Alexandre III

moderne Grande Arche de La Défense eindigt. Het verkeer op deze meerbaansweg staat nooit stil, of het nu dag of nacht is. Ook onder de massa's toeristen die in elk jaargetijde over de brede trottoirs af en aan lopen, heerst grote bedrijvigheid. In de winkels, die voor een deel tot middernacht geopend zijn, en in de vele cafés geldt het devies: 'zien en gezien worden'. Om het niveau enigszins op peil te houden, let het stadsbestuur er tegenwoordig gelukkig wel op dat niet te veel goedkope ketens op deze felbegeerde vestigingsplaats hun deuren openen. Aan het benedeneind wordt de prachtige boulevard gekruist door de Avenue Montaigne, een van de duurste straten op modegebied. In dit gedeelte staan, omzoomd door uitgestrekte groenstroken, de ter gelegenheid van de Wereldtentoonstelling van 1900 opgerichte glaspaleizen. Wie voldoende puf over heeft en niet opziet tegen nog een rondje, steekt de reusachtige Place de la Concorde over en slentert op zijn gemak door de elegante Rue Royale met zijn chique winkels naar de Sainte-Marie Madeleinekerk (La Madeleine). Wie daarentegen toe is aan ontspanning, kan in de Jardin des Tuileries onderuitzakken en daarna gesterkt de richting van het aangrenzende Louvre in slaan.

1 ARC DE TRIOMPHE ★ [116 B-C1]

Op de indrukwekkende zichtas tussen de kleine triomfboog bij het zenlijkt zouden worden. Onder de boog, die met fraaie reliëfs, zoals La Marseillaise, is versierd, bevindt zich het *Graf van de Onbekende Soldaat,* het vertrekpunt van de militaire parade op 14 juli. Een ondergrondse passage bij het metrostation Place Charles de Gaulle-Étoile leidt u langs een klein museum over de geschiedenis van de triomfboog naar de toegang tot het uitzichtplatform. Het uitzicht boven op de Arc de Triomphe

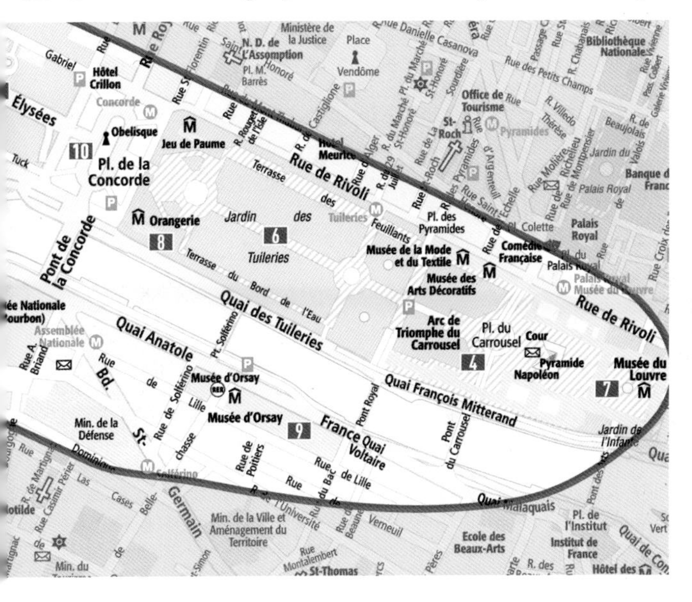

Louvre en de grote van La Défense verheft zich het 50 m hoge herkenningsteken dat Jean François Chalgrin naar antiek voorbeeld ontwierp. Nadat Napoleon in 1806 opdracht had gegeven tot de bouw ter ere van zijn Grande Armée en zijn overwinning in de Slag bij Austerlitz, duurde het nog 30 jaar tot de plannen verwe- mag u zich niet laten ontgaan: het is werkelijk fenomenaal, te meer omdat rond dit punt maar liefst twaalf avenues stervormig samenkomen. *Dag., april–sept. 10.00–23.00 uur; okt.–maart 10.00–22.30 uur | toegang circa 9 euro | M 1, 2, 6/RER A: Charles de Gaulle-Étoile | www.arc-de-triomphe.monuments-nationaux.fr*

2 AVENUE DES CHAMPS-ÉLYSÉES [116 C-F 2-3]

De straat waarvan gezegd wordt dat hij de mooiste ter wereld is, wordt door de meeste Parijzenaars niet bijzonder gewaardeerd. Tussen de Arc de Triomphe en de Place de la Concorde komt u dan ook voornamelijk toeristen tegen. Maar voor de grote premièrebioscopen staan 's avonds, vooral in de weekends, ook veel Fransen in de rij. Het hogere deel van de avenue is grotendeels door de commercie, zoals fastfoodketens, in bezit genomen, maar in het lagere deel kunt u nog de pracht van de belle époque bewonderen.

Een kleine omweg door de *Avenue de Marigny* voert de bezoeker rechtstreeks naar het Élysée, de goed bewaakte residentie van de Franse president. Bekende adressen langs de prachtige, 2 km lange laan zijn de elegante parfumerie *Guérlain (nr. 68)*, het beroemde variététheater *Lido (nr. 116)*, de cd- en boekwinkel *Virgin Megastore (nr. 52–60)* en de exclusieve boetiek van *Louis Vuitton (nr. 101)*. *8ste arr. | M 1: George V, M 1, 9: Franklin D. Roosevelt, M 1, 13: Champs-Élysées-Clemenceau*

3 AVENUE MONTAIGNE [117 D3]

Deze zijstraat van de Champs-Élysées is het toppunt van luxe. Hier zijn bijna alle modehuizen van naam (Versace, Ricci, Dior, Lacroix), juweliers, parfumeries en lederwarenwinkels vertegenwoordigd. Sommige klanten laten zich door hun chauffeur voor de winkeldeur afzetten, waar ze door een portier met witte handschoenen welkom worden geheten. Wie dat wil en wie het zich kan veroorloven, kan natuurlijk meteen het traditierijke luxehotel *Plaza Athenée (nr. 25)* binnengaan. Ook het *Théatre des Champs-Élysées* met zijn mooie, door Antoine Bourdelle ontworpen gevel is hier te vinden. *8ste arr. | M 1, 9: Franklin D. Roosevelt*

4 CARROUSEL DU LOUVRE [118 C4]

Deze passage ontstond pas in 1990. Ze maakt in zekere zin deel uit van het Louvre en heeft haar openingstijden aan die van het museum aangepast. In de ruime, helverlichte gangen onder de glazen piramide en het Louvre hebben zich luxesouvenirwinkels, restaurants en cafés gevestigd. De *Boutique des Musées Nationaux* verkoopt reproducties van kunstwerken uit verschillende Franse musea, naast een selectie van kaarten en boeken. Voor het lichamelijk welzijn van de wandelaar zorgt een snackbar met een heel bijzonder aanbod: bij *Restorama (€)* vindt u specialiteiten uit de hele wereld. *1ste arr. | M 1, 7: Palais Royal-Musée du Louvre*

5 GRAND ET PETIT PALAIS [117 E3]

Beide paleizen werden gebouwd ter gelegenheid van de Wereldtentoonstelling van 1900 en staan met hun rijke, historiserende beeldhouwwerk symbool voor een van de vruchtbaarste culturele perioden van de metropool aan de Seine. Vooral de constructie van staal en glas en de koepels maken de paleizen tot kleinoden van jugendstil en belle époque. In het *Grand Palais* zijn uitsluitend wisselende tentoonstellingen van hoog niveau te zien; in het eind 2005 heropende, voor veel geld gerestaureerde *Petit Palais* daarentegen vindt u een permanente tentoonstelling van kunstvoorwerpen en schilderijen uit de 18de en 19de eeuw (gratis toegang). *Av. du Général Eisenhower 3 en Av. Winston Churchill | 8ste arr. | M 1, 13: Champs-Élysées-Clemenceau*

De door André Le Nôtre aangelegde Jardin des Tuileries is nu Werelderfgoed

6 JARDIN DES TUILERIES [118 A–B 3–4]
Dit barokke park is al in 1666 aangelegd als 'voortuin' van het Louvre. Het was een van de eerste parken die voor het grote publiek toegankelijk waren en als zodanig een voorbeeld voor veel andere parken in Europa. Bijzonder fraai zijn de achttien vrouwenbeelden van de hand van Aristide Maillol, die tussen zorgvuldig gesnoeide hagen door op bijna onwerkelijke wijze tevoorschijn komen. *1ste arr. | M 1, 8, 12: Concorde, M 1: Tuileries*

7 MUSÉE DU LOUVRE ★ [118 C4–5]
Voor het omvangrijkste museum van de wereld hebt u een bezoekstrategie nodig. In het Louvre is namelijk veel meer te zien dan alleen bekende dames als de *Venus van Milo* (2de eeuw v.C.), Leonardo da Vinci's *Mona Lisa* (16de eeuw) en de *Kantklosster* van Johannes Vermeer (17de eeuw). Wie de lange rij bij de hoofdingang onder de piramide wil mijden, neemt de *Porte des Lions* (Seinezijde) van de Denonvleugel. Dan staat u snel

Insider Tip

voor de voortdurend door drommen mensen omringde *La Joconde,* de Mona Lisa, die in de pas gerestaureerde *Salle des États* als nieuw hangt te stralen. Ook moet u beslist bij de *informatiebalie* een plattegrond (ook in het Nederlands) en een weekoverzicht van de bij toerbeurt gesloten afdelingen en collecties halen.

Vervolgens kunt u in uw cultuurbehoefte voorzien met een rijk gevarieerd menu dat teruggaat tot de 7de eeuw v.C.: over de drie gebouwencomplexen *(Denon, Sully, Richelieu)* verdeeld, worden hier de oriëntaalse, Egyptische (bijzonder monumentaal) en Grieks-Romeinse cultuur gepresenteerd. Naast de Europese beeldhouwkunst van de middeleeuwen tot de 19de eeuw, het kunsthandwerk en meer dan 100.000 prenten uit zes eeuwen, vormt de schilderijencollectie een hoogtepunt dat de geschiedenis van de Europese schilderkunst van de 13de tot de 19de eeuw, gerangschikt naar regio, documenteert. In de schitterende *Galerie d'Apollon* getuigen overdadig stucwerk, de kroonjuwelen en schilderijen van Charles Le Brun, Eugène Delacroix en anderen van de macht van de Zonnekoning Lodewijk XIV.

U kunt natuurlijk een pauze in uw museumbezoek inlassen om in de smaakvolle ondergrondse winkelpassage *Carrousel du Louvre* (ook zondags geopend) een kop koffie te drinken of een van de vele internationale snelbuffetten te bezoeken. Zelfs als u de collectie helemaal niet wilt bekijken, is het de moeite waard toch op zijn minst het gebouwencomplex van het Louvre te bezichtigen, dat zich van een 12de-eeuwse vesting tot een renaissancepaleis heeft ontwikkeld. De blootgelegde *middeleeuwse fundamenten,* de 's avonds fraai verlichte *Cour Carrée,* de kleine *Arc de Triomphe,* die op een zichtas staat met zijn grote broer, en de gedurfde *glazen piramide* van de Chinese architect Ieoh Ming Pei zijn hoogtepunten van een bezoek aan Parijs.

Wo–ma 9.00–18.00 uur (wo en vr tot 22.00 uur) | toegang circa 9 euro (na 18.00 uur circa 6 euro) | M 1, 7: Palais Royal-Musée du Louvre | www.louvre.fr.

Voorverkoop tickets op de stations (SNCF) en in de winkels van *Fnac: tel. 08–92684694,* uit het buitenland *tel. 0033–1–40205317.*

Harmonieuze contrasten: het Louvre toont kunst uit vele perioden

De beeldengalerij in de centrale hal van het Musée d'Orsay

8 MUSÉE DE L'ORANGERIE [118 A4]

In de aan het Louvre grenzende Jardin des Tuileries ziet u de interessante verzameling van de kunsthandelaar Paul Guillaume, met werken van onder anderen Auguste Renoir, Pablo Picasso, Paul Cézanne, Henri Matisse en Amedeo Modigliani. Hoogtepunt zijn echter de *Nymphéas* (Waterlelies) van Claude Monet. Deze acht grote composities sieren de wanden van ellipsvormige zalen en versterken zo de indruk van stromend water en licht. *Wo–zo 9.00–18.00 uur (vr tot 21.00 uur) | toegang circa 7,50 euro | Place de la Concorde | Jardin des Tuileries | 1ste arr. | M 1, 8, 12: Concorde | www.musee-orangerie.fr*

9 MUSÉE D'ORSAY ★ [118 A–B 4–5]

In de met licht overgoten zalen van dit in 1986 prachtig verbouwde station staan de schilders van het licht, de impressionisten, centraal. Daarnaast zijn echter ook werken te zien van wegbereiders van de modernen, zoals Vincent van Gogh, Paul Gauguin en Paul Cézanne. De schilderijen, de beeldhouwwerken, de verzameling kunstobjecten en de documentatie over stadsplanning en film- en affichekunst omvatten de periode 1848–1914, een tijdperk dat tot de vruchtbaarste van de kunstgeschiedenis behoort. Ook indruk maken het rijke aanbod van de museumboekwinkel en de elegante eetzaal, waar de moderne stoelen zeer fraai harmoniëren met de luister van de belle époque. *Di–zo 9.30–18.00 uur (do tot 21.45 uur) | toegang circa 8 euro | Rue de la Légion d'Honneur 1 | 7de arr. | M 12: Solférino | www. musee-orsay.fr*

10 PLACE DE LA CONCORDE ★ [118 A3]

Op het indrukwekkendste plein van Parijs zijn slechts superlatieven van toepassing: gezien vanaf het middelpunt, de 3300 jaar oude, 22 m hoge obelisk uit het Egyptische Luxor, ligt de gehele Champs-Élysées tot aan de Arc de Triomphe voor u. Het is moeilijk voor te stellen dat op dit in 1775 aangelegde plein iets meer dan 200 jaar geleden duizenden vijanden van de Revolutie, onder wie Lodewijk XVI, zijn vrouw Marie-Antoinette, Robespierre en Madame du Barry op het daar opgestelde schavot ter dood zijn gebracht. De acht vrouwenstandbeelden, die het 'plein van de eendracht' omringen, symboliseren de acht grootste steden van Frankrijk. *8ste arr. | M 1, 8, 12: Concorde*

De Pont Alexandre III is slechts een van de 35 bruggen over de Seine in Parijs

11 PONT ALEXANDRE III [117 E4]

Tsaar Nicolaas II legde in 1896 persoonlijk de eerste steen voor deze luisterrijkste brug van Parijs, die het Grand Palais en de Esplanade des Invalides met elkaar verbindt. Als de zon schijnt, glanst het goud van de gevleugelde belle-époquepaarden op de hoekzuilen van de brug u al van verre tegemoet. *8ste arr. | M 8, 13/ RER C: Invalides*

SENTIER-WIJK MET OPÉRA

> In de voormalige Parijse lakenweverswijk rond de Rue du Sentier wordt nog altijd – op kleine schaal – voor de haute couture genaaid. Onder druk van de steeds goedkopere kleding uit Azië verdwijnen echter steeds meer bedrijven en ook de groothandel heeft te lijden onder de concurrentie uit andere regio's. De chique Place des Victoires met zijn boetieks en de door hun architectuur luisterrijke winkelpassages uit de 19de eeuw getuigen nog altijd van de vroegere rijkdom van deze wijk. De wereldbe-

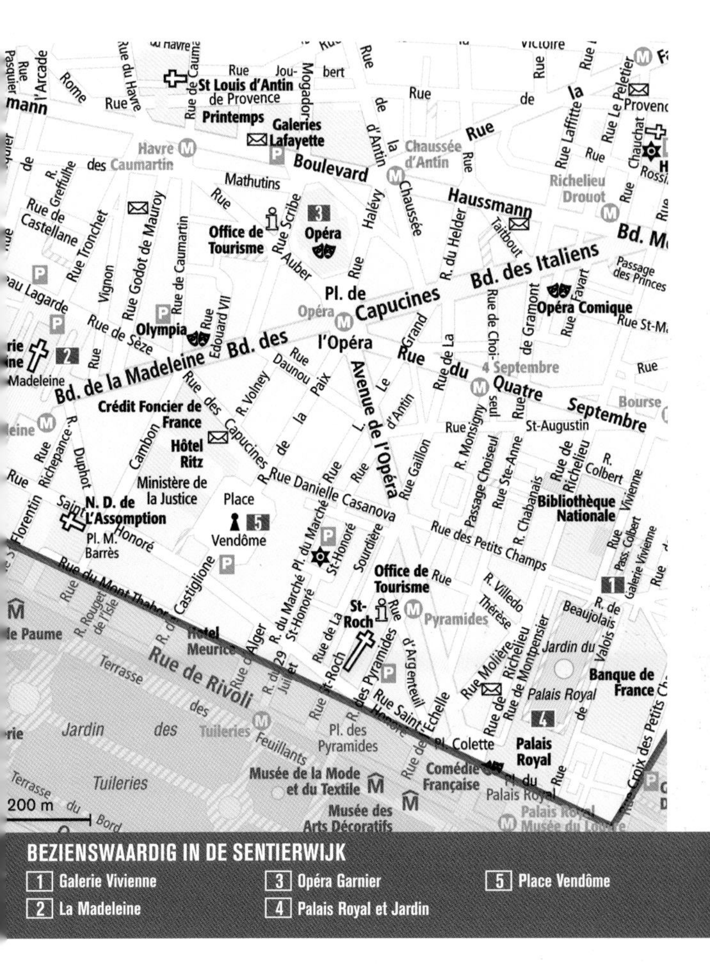

BEZIENSWAARDIG IN DE SENTIERWIJK

1 Galerie Vivienne
2 La Madeleine
3 Opéra Garnier
4 Palais Royal et Jardin
5 Place Vendôme

roemde warenhuizen Galeries Lafayette en Printemps staan hier vlakbij. In dit deel van Parijs wordt echter niet alleen veel geld uitgegeven, maar ook veel verdiend. Naast de indrukwekkende hoofdkantoren van grote banken en verzekeringsmaatschappijen verheft zich het classicistische bouwwerk van de Parijse Beurs, waar echter allang niet meer in effecten wordt gehandeld. De terrassen en restaurants worden vooral rond lunchtijd bevolkt door elegant geklede zakenlieden, die tijdens een soms zeer uitgebreide lunch zakelijke besprekingen voeren. Met de Opéra Garnier heeft ook de cultuur hier een plaats gekregen. Iets verder naar het noorden strekt zich de legendarische kunstenaars- en uitgaanswijk Montmartre uit op een heuvel (zie Stadswandelingen, blz. 96).

1 GALERIE VIVIENNE [118 C3]

Zij staat bekend als de 'koningin van de Parijse passages' en werd in 2000 volledig gerenoveerd. Over de fraaie mozaïekvloer in neoclassicistische stijl wandelt u onder glazen lichtkoepels langs exclusieve winkels. Na een bezoek aan *Emilio Robba,* waar de mooiste kunstbloemen ter wereld worden verkocht, kunt u in de theesalon *A priori thé* een voortreffelijke *chocolat à l'ancienne* drinken. De in dezelfde tijd gebouwde *Galerie Colbert* met haar rotonde in Pompejistijl sluit hier direct op aan. *Rue des Petits Champs 4 | 2de arr. | M 3: Bourse*

2 LA MADELEINE [118 A2]

Het in 1764 met zuilen in de stijl van een Griekse tempel gebouwde godshuis *Sainte-Marie Madeleine* werd onder Napoleon gebruikt als monument ter ere van zijn leger. Daarna diende het onder meer als parlementsgebouw, beurs en nationale bibliotheek. Pas in 1842 werd het tot kerk gewijd. Tegenwoordig worden hier begrafenisdiensten voor beroemde zangers en acteurs gehouden, zoals Gilbert Bécaud. *Dag. 7.30–19.00 uur | Place de la Madeleine | 8ste arr. | M 8, 12, 14: Madeleine*

3 OPÉRA GARNIER [118 B2]

Dit door Charles Garnier in 1875 voltooide, rijk met marmer en goud versierde paleis kan worden bezichtigd, behalve tijdens de repetities. Bijzonder interessant zijn het prachtige trappenhuis en de in 1964 door Marc Chagall aangebrachte plafondschildering. *Ma–vr 10.00–17.00 uur | circa 8 euro | Place de l'Opéra | 9de arr. | M 3, 7, 8: Opéra, RER A: Auber | www.operadeparis.fr*

4 PALAIS ROYAL EN JARDIN DES PALAIS ROYAL [118 C3–4]

Een van historie doordrenkte oase van rust in het kolkende centrum. Waar u tegenwoordig wandelt onder lommer-

> ONTSPANNEN & GENIETEN

Gezond uitstapje naar het Verre Oosten

Wegzweven in de ruimtesfeer van topcouturier Kenzo: in het futuristisch ingerichte *La Bulle* [119 D4–5], dat baadt in kleurig licht, kunt u even bijkomen van de stress van het winkelen. Verleidelijke geursensaties en massages met buitengewone taktiele prikkels als strelingen met een vogelveer vervolmaken de intensieve ervaring. De meeste producten die worden gebruikt – tevens verkrijgbaar in de bijbehorende winkel – bevatten uitgelezen Aziatische ingrediënten, zoals bamboe- en gemberbloesem, witte lotus en rijstdamp. Een eenurige massage met rijstkorrels bij kaarslicht is er al vanaf 82,50 euro; een gezichtsbehandeling met witte lotus, die een engelengezicht tevoorschijn tovert, kost circa 123 euro. *Ma–za 11.30–20.00 uur | Rue du Pont-Neuf 1 | 1ste arr. | tel. 01-42365673 | M 7: Pont Neuf | www.labullekenzo.com*

rijke linden, werd ooit geschiedenis geschreven. Kardinaal Richelieu, die het rond het park gesitueerde paleis in 1634 liet bouwen, vermaakte het later aan Lodewijk XIII. Het huis Orléans, de volgende eigenaar, breidde de binnentuin uit. Achter de uniforme façaden met de rondboogarcaden zijn nog altijd winkels gevestigd. In juli 1789 begon hier de Franse Revolutie. Op de aangrenzende binnenplaats naast de *Comédie Française* vormen sinds 1986 de zuilen van verschillende hoogte van de hand van Daniel Buren een interessant tegenwicht tegen de historische achtergrond. *1ste arr. | M 1, 7: Palais Royal-Musée du Louvre*

5 PLACE VENDÔME [118 B3]

Dit meesterwerk van klassieke harmonie met zijn karakteristieke, op de vier hoeken afgeschuinde, rechthoekige vorm werd aan het eind van de 17de eeuw door de beroemde bouwmeester Jules Hardouin-Mansart ontworpen. Midden op het plein staat een zuil naar het voorbeeld van de Trajanuszuil in Rome, met bovenop een beeld van Napoleon als Romeins keizer. Het plein is over de hele wereld vooral beroemd omdat de bekendste juwelierszaken hier hun domicilie hebben en ook het befaamde Ritzhotel er van de buitengewone ambiance profiteert. *1ste arr. | M 3, 7, 8: Opéra*

De Opéra Garnier was ten tijde van de bouw in 1875 het grootste operagebouw ter wereld

VAN LES HALLES NAAR DE BASTILLE

> Van het winkelcentrum Les Halles, dat op de plaats van de 'buik van Parijs' (Émile Zola), de vroegere markthallen, is verrezen en dat tegenwoordig wordt omringd door allerlei kleine bedrijfjes, is het maar een klein eindje naar de vroeger aristocratische Marais. Deze wijk begint direct achter het wereldberoemde cultureel centrum Centre Georges Pompidou. Van oudsher wonen er veel Joden in de Marais. Hun winkeltjes en restaurants worden geleidelijk aan door dure trendy zaken verdrongen. De Marais is echter niet alleen een wijk voor de incrowd, maar ook de Parijse homowijk. Toeristen zijn onder de indruk van de overdadige architectuur van dit *quartier,* met zijn vele adellijke paleizen, die nu voor een deel musea huisvesten. De Place des Vosges, het voormalige Koningsplein, behoort tot de mooiste pleinen van Parijs. Het hele jaar door wordt hier straatmuziek ten gehore gebracht – soms van uitstekende kwaliteit.

Slechts enkele meters verder naar het oosten ligt een van de centra van het Parijse nachtleven. In de schaduw van de zilverglanzende Opéra Bastille, rond de Rue du Faubourg Saint-Antoine, maar ook verder naar het noorden rond de Rue Oberkampf is het tot in de kleine uurtjes gezellig druk.

1 CENTRE GEORGES POMPIDOU ★ [119 E4]

Op de vierde en vijfde verdieping van dit futuristische buizengebouw krijgt u een alomvattend overzicht van de kunst van de 20ste eeuw. Ook de interdisciplinaire opzet, waarin grafiek, architectuur, design en nieuwe media zijn betrokken, inspireert. Op het voorplein van het gebouw

Zowel binnen als buiten is het Centre Georges Pompidou een artistieke belevenis

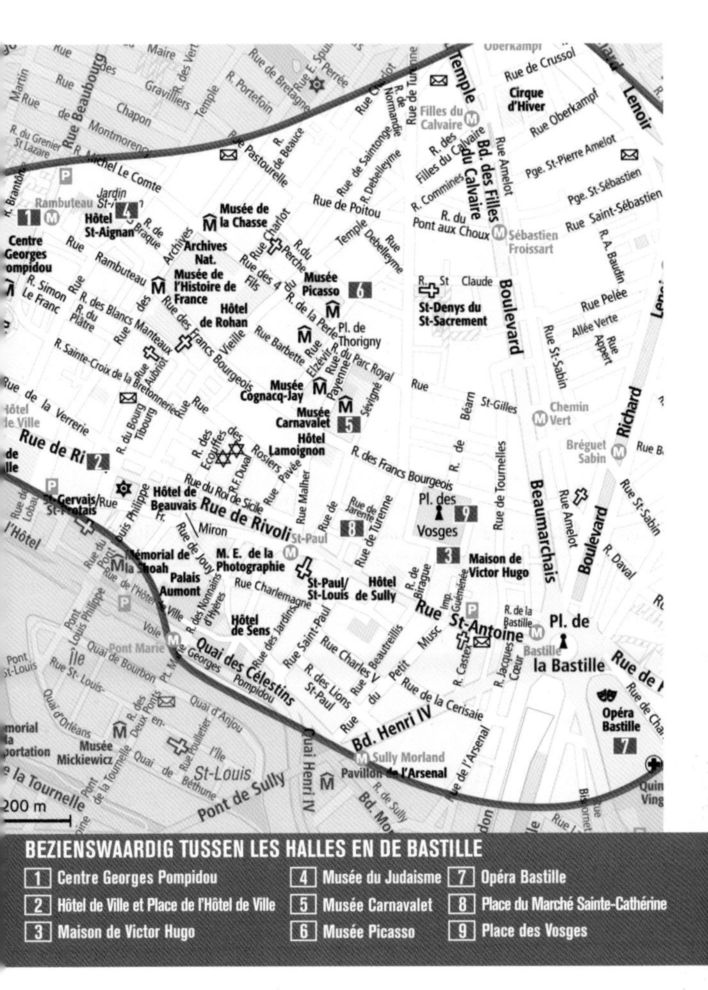

staat het waarheidsgetrouw nagebouwde atelier van de beeldhouwer Constantin Brancusi. Op de zesde etage worden wisselende tentoonstellingen van kunstenaars van wereldformaat gehouden. Een bezoek is alleen al aan te raden vanwege het fenomenale uitzicht over Parijs, ook vanuit designercafé *Le George*. Direct naast het Centre Pompidou staat de door Niki de Saint Phalle en Jean Tinguely naar het ballet *Le Sacre du Printemps* van Igor Strawinsky vormgegeven *fontein* met kleurige figuren en technische constructies die water spuiten – een ontmoetingsplaats voor jongeren. *Wo–ma 11.00–21.00 uur (do tot 23.00 uur, Atelier Brancusi 14.00–18.00 uur) | toegang circa 12 euro | Pl. Georges-Pompidou | 4de arr. | M 11: Rambuteau | www.centrepompidou.fr*

2 HÔTEL DE VILLE EN PLACE DE L'HÔTEL DE VILLE [119 E5]

Na een grote brand is het stadhuis in 1882 in neorenaissancestijl herbouwd. Aan de gevel zijn sculpturen te zien van meer dan honderd in Parijs geboren personen. In de middeleeuwen strekte het toen nog centraal gelegen plein voor het gebouw zich uit tot aan de aanlegplaatsen voor schepen aan de Seine. Waar ooit volksfeesten en terechtstellingen plaatsvonden, worden nu demonstraties gehouden en ligt 's winters een verlichte ijsbaan. *Ma–vr | gratis toegang | tel. aanmelding vereist: 01–42765049 | 4de arr. | M 1, 11: Hôtel de Ville*

3 MAISON DE VICTOR HUGO [120 B6]

Hier heeft de schrijver Victor Hugo tussen 1832 en 1848 gewoond en gewerkt. In de gedeeltelijk Aziatisch aandoende vertrekken met een prachtig uitzicht op de Place des Vosges ziet u documenten, objecten en meubelen, maar ook schilderijen van de schrijver, die aantonen dat hij ook een verdienstelijk schilder was. *Di–zo 10.00–18.00 uur | gratis toegang | Pl. des Vosges 6 | 4de arr. | M 1: Saint-Paul | www.musee-hugo.paris.fr*

4 MUSÉE D'ART ET D'HISTOIRE DU JUDAISME [119 F4]

Midden in de Joodse wijk van Parijs wordt hier aan de hand van talrijke documenten en voorwerpen de geschiedenis van de Joodse gemeenschappen in Europa – vooral in Frankrijk – belicht, van de middeleeuwen tot de 20ste eeuw. *Ma–vr 11.00–18.00, zo 10.00–18.00 uur | toegang circa 6,80 euro | Rue du Temple 71 | 3de arr. | M 1: Hôtel de Ville, M 11: Rambuteau | www.mahj.org*

5 MUSÉE CARNAVALET [120 A5]

In dit luisterrijke stadspaleis uit 1548, slechts enkele meters van de Place des Vosges, wordt de roerige

Hier begon Victor Hugo met het schrijven van *Les Misérables*

geschiedenis van de stad Parijs van de Romeinse tijd tot heden uit de doeken gedaan. Maquettes van huizen illustreren de grote ingreep in het stadsbeeld door baron Haussmann. Talrijke schilderijen en voorwerpen (bijvoorbeeld kledingstukken van revolutionairen en modellen van de guillotine) documenteren mijlpalen in de ontwikkeling van Parijs. Interessant is ook de kamer van Marcel Proust, waar hij *À la recherche du temps perdu* schreef. Er zijn ook wisselexposities. *Di–zo 10.00–18.00 uur | gratis toegang | Rue de Sévigné 23 | 4de arr. | M 1: Saint-Paul*

6 MUSÉE PICASSO ★ [120 A5]

Het *Hôtel Salé* bezit de omvangrijkste collectie werken van de meester. Het wordt grondig gerenoveerd en gaat pas medio 2012 weer open. *Rue de Thorigny 5 | 3de arr. | M 8: Chemin Vert | www.musee-picasso.fr*

7 OPÉRA BASTILLE [126 B1]

De zilverkleurige gevel van glas, staal en graniet aan de Place de la Bastille valt op. De voormalige president François Mitterrand gaf de Canadese architect Carlos Ott opdracht dit nieuwe operagebouw te bouwen, dat in 1989 werd voltooid. Ook als u geen voorstelling (opera en ballet) wilt bijwonen, is de rondleiding van een uur een aanrader. *Ma–vr | na tel. afspraak: tel. 01–40011970 | circa 11 euro | Pl. de la Bastille | 12de arr. | M 1, 5, 8: Bastille | www.operadeparis.fr*

Bastille: in plaats van de gevangenis wordt nu – soms – de opera bestormd

8 PLACE DU MARCHÉ SAINTE-CATHÉRINE [120 A5–6]

Insider Tip

Met zijn cafés en bomen die voor schaduw zorgen, doet dit rustige plein in de Marais denken aan een ingetogen marktplein in een Zuid-Frans provinciestadje. *4de arr. | M 1: Saint-Paul*

Fontein in het centrum van het besloten ensemble van de Place des Vosges

9 PLACE DES VOSGES ★ [120 A–B 5–6]

Dit in 1612 onder Hendrik IV als Place Royale (Koningsplein) aangelegde plein is niet alleen een van de oudste, maar architectonisch gezien ook een van de meest harmonieuze pleinen van de stad. De 36 paviljoens (die van de koning en van de koningin zijn iets verhoogd) zijn omgeven door arcadegangen waarin stijlvolle galeries en restaurants zijn gehuisvest. Daarboven verheffen zich de symmetrisch gerangschikte gevels, waarvan de compositie van licht natuursteen, rood baksteen en grijs leisteen op de daken een perfecte aanblik biedt. In het kleine park in het midden komt de beslotenheid van het geheel het beste over. *4de arr. | M 1: Saint-Paul, M 1, 5, 8: Bastille*

RIVE GAUCHE MET EILANDEN

> Het ★ Île de la Cité is het hart van Parijs. Al in de Romeinse tijd vestigden de eerste bewoners, de Parisii, zich hier. Op deze plaats verheft zich ook een pronkstuk van gotische architectuur, de kathedraal Notre-Dame. De verdedigingstorens van de Conciergerie en de van licht vervulde Sainte-Chapelle versterken nog de middeleeuwse indruk die dit bedrijvige eiland achterlaat. Op het naastgelegen Île Saint-Louis, de duurste woonwijk van de stad, gaat het rustiger toe.

Terwijl de *rive droite* van oudsher nogal burgerlijk van karakter is, zijn het Quartier Latin en Saint-Germain-des-Prés aan de linkeroever van de Seine sinds lang centra van het intellectuele leven. In de cafés hier kwamen in de jaren 1950 de existentialisten bijeen. Tegenwoordig worden ze vooral bezocht door toeristen en personeel van de omringende uitgeverijen en boekwinkels. In het Quartier Latin (dat wil zeggen de wijk waar vroeger Latijn werd gesproken) zijn al sinds de 13de eeuw de beroemdste scholen van het land gevestigd. Daarnaast vindt u hier cafés en bistro's, en natuurlijk de Jardin du Luxembourg, een van de populairste parken in Parijs.

1 CONCIERGERIE [119 D5–6]

Als 'wachtkamer voor de guillotine' – de macabere bijnaam van deze voormalige gevangenis – getuigt dit machtige gebouw op het Île de la Cité van een tragische episode in de Franse geschiedenis. De beroemdsten van de meer dan 2000 gevangenen die hier op hun terechtstelling wachtten, waren koningin Marie-Antoinette (haar cel is nagebouwd) en de revolutionairen Georges Danton en Maximilien de Robespierre. Oorspronkelijk was het gebouw met zijn schilderachtige ronde torens een paleis van de dynastie der Capetingen uit de 10de eeuw. De *Salle des Gens d'Armes* is een van de indrukwekkendste voorbeelden van gotische wereldlijke architectuur. De naam is overigens afgeleid van *concierge,* het hoofd van de huishouding, die vanaf ongeveer 1300 door de koning met steeds grotere macht werd bekleed. *Dag. behalve feestdagen, maart–okt. 9.30–18.00 uur; nov.–feb. 9.00–17.00 uur | circa 7 euro (incl. Sainte-Chapelle 10 euro) | Quai de l'Horloge 1 | 1ste arr. | M 4: Cité | www.conciergerie.monuments-nationaux.fr*

2 INSTITUT DU MONDE ARABE [125 F2]
De opvallende gevel van glas en aluminium – een geslaagd voorbeeld van moderne architectuur door Jean Nouvel – volgt de bochten in de Seine. Een bijzonder detail vormen de lichtlamellen aan de zuidzijde die zich afhankelijk van de lichtval openen en sluiten. Ter bevordering van de culturele uitwisseling tussen de

> BOEKEN & FILMS

Parijs inspireert schrijvers en regisseurs

- **In het paradijs voor de vrouw** – Deze roman van Émile Zola is een sociaalkritische milieustudie van de pracht en praal van de warenhuiswereld in de 19de eeuw – nu nog terug te vinden in *Le Bon Marché (blz. 73).*
- **Amerikaan in Parijs** – Ernest Hemingway beschrijft zijn verblijf in het Parijs van de wilde jaren twintig van de 20ste eeuw. In cafés als de *Closerie des Lilas* treedt u in zijn voetstappen.
- **Samen ben je minder alleen** – Anna Gavalda beschrijft in haar in 2006 verschenen roman een woongemeenschap aan de voet van de Eiffeltoren; al in 2007 werd het boek verfilmd door Claude Berri.
- **Last tango in Paris** – Erotische film uit 1972 van Bernardo Bertolucci, met spraakmakende hoofdrollen van Marlon Brando en Maria Schneider. De film kreeg in 1974 twee Oscarnominaties.
- **Hotel du Nord** – Deze klassieker van Marcel Carné (1938) speelt aan het nu weer trendy Canal Saint-Martin.
- **Ratatouille** – Deze animatiefilm van Brad Bird, die op een kostelijke manier de culinaire wereld op de hak neemt, heeft in 2008 terecht een Oscar gewonnen.
- **La vie en rose** – Deze film uit 2007 van Oliver Dahan verbeeldt het tragische leven van de tot icoon uitgegroeide Edith Piaf.
- **Paris, je t'aime** – 21 voor een deel bekende filmmakers verklaarden in 2006 Parijs de liefde in achttien korte films, die in even zovele arrondissementen spelen.

Europese en de islamitische wereld stellen zich hier 20 Arabische landen voor met wisselexposities, forums, films en een omvangrijke bibliotheek. Vanuit restaurant *Le Ziryab* hebt u een schitterend uitzicht over de daken van Parijs. *Di–zo 10.00–18.00 uur | toegang circa 8,50 euro | Rue des Fossés Saint-Bernard 1 | 5de arr. | M 7, 10: Jussieu | www.imarabe.org*

3 JARDIN DU LUXEMBOURG ★ [124 B-C2]

Dit is het beroemdste park in het centrum van Parijs, vlak bij de Sorbonne. Op de gereedstaande stoelen kunt u toekijken hoe kinderen modelboten in de grote vijver laten varen. Maria de' Medici liet het park met het bijbehorende paleis aan het begin van de 17de eeuw aanleggen naar Florentijns voorbeeld. Het *Palais du Luxembourg* is tegenwoordig zetel van de Franse senaat. Direct ernaast staat het *Musée du Luxembourg,* met vaak opmerkelijke tentoonstellingen. *Park: 's zomers van 7.00 uur tot een uur voor zonsondergang, 's winters vanaf 8.00 uur | 6de arr. | RER B: Luxembourg*

Institut du Monde Arabe

4 MUSÉE DE CLUNY (MUSÉE NATIONAL DU MOYEN AGE) ★ [125 D1]

Dit laatgotische stadspaleis van de abten van Cluny, direct naast de 3de-eeuwse Romeinse thermen, vormt het ideale decor voor deze collectie middeleeuwse kunst. Behalve boekilluminatie, meubels, kunsthandwerk en antieke beelden zijn vooral het glas in lood en de wandtapijten heel bijzonder. Een hoogtepunt is de ronde zaal met de zes wandtapijten die de *Dame met de eenhoorn* (15de eeuw) uitbeelden. De eerste vijf tapijten zijn allegorieën op de vijf zintuigen, de betekenis van het zesde tapijt is onbekend en spreekt daardoor des te meer tot de verbeelding. *Wo–ma 9.15–17.45 uur | toegang circa 8 euro | Pl. Paul Painlevé 6 | 5de arr. | M 10: Cluny-La Sorbonne | www.musee-moyenage.fr*

5 NOTRE-DAME ★ [119 E6]

Dit meesterwerk van de gotiek werd gebouwd tussen 1163 en 1345 in opdracht van bisschop Maurice de Sully. Op deze plaats stond 2000 jaar geleden al een Romeinse tempel. Het vijfbeukige schip biedt maar liefst plaats aan 9000 mensen. Bijzonder indrukwekkend zijn de drie grote portalen, de geweldige luchtbogen rond het koor en de roosvensters met hun prachtige glas in lood, die een diameter van meer dan 10 m hebben.

BEZIENSWAARDIG

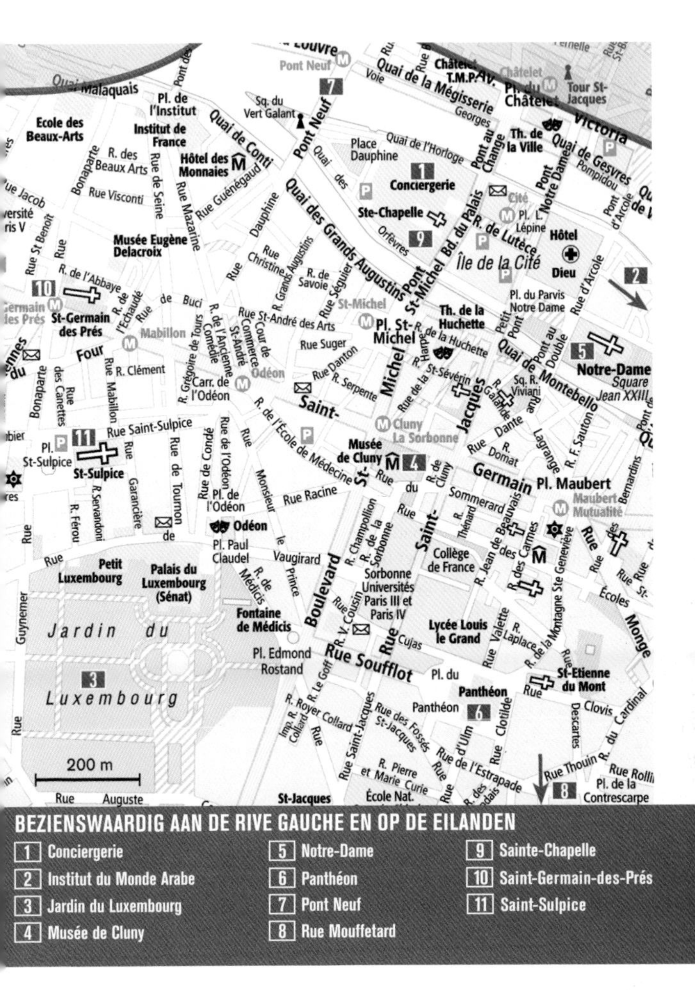

Hier vonden veel gewichtige historische gebeurtenissen plaats, waaronder de kroning van Napoleon. Tijdens de Revolutie was de Notre-Dame een 'tempel van de rede': de kerk dreigde tot een ruïne te vervallen. In zijn roman *De klokkenluider van de Notre-Dame* deed Victor Hugo met succes een beroep op de publieke opinie om deze toestand niet langer te tolereren. Vervolgens werd de kathedraal gerestaureerd. Vanaf de toren hebt u een mooi uitzicht op de waterspuwers en de stad. Op het voorplein ziet u een markering vanwaar de afstanden tot andere Franse steden worden gemeten. *Ma–vr 8.00–18.45, za–zo 8.00–19.15 uur | gratis toegang | toren: april–sept. dag. 10.00–18.30 uur; okt.–maart dag. 10.00–17.30 uur | circa 8 euro (okt.–maart 1ste zo van de maand gratis) | Île de la Cité | 4de arr. | M 4: Saint-Michel, RER B, C: Saint-Michel-Notre-Dame | www.notre damedeparis.fr*

De kathedraal Notre-Dame de Paris is in veel opzichten het hart van de stad

6 PANTHÉON [125 D2]
De indrukwekkende koepel op de heuvel van Sainte-Geneviève is al van veraf zichtbaar. Lodewijk XV liet het Panthéon in 1756 door zijn bouwmeester Jacques-Germain Soufflot oprichten als inlossing van een gelofte aan de Parijse beschermheilige Genoveva. Al kort na de Revolutie werden de stoffelijke resten van grote Fransen als Voltaire en Jean-Jacques Rousseau in de kerk bijgezet. Sinds in 1885 het lichaam van Victor Hugo naar het Panthéon werd overgebracht, fungeert de soms nog als gebedshuis gebruikte kerk definitief als mausoleum. U kunt ook naar de omgang van de koepel klimmen, waar de 19de-eeuwse natuurkundige Léon Foucault zijn beroemde slingerproef uitvoerde om de aswenteling van de aarde aan te tonen. *April–sept. dag. 10.00–18.30 uur; okt.–maart dag. 10.00–18.00 uur | circa 8 euro (okt.–maart 1ste zo van de maand gratis) | Pl. du Panthéon | 5de arr. | M 10: Cardinal Lemoine, RER B: Luxembourg | www.pantheon.monuments-nationaux.fr*

7 PONT NEUF [119 D5]
De 'nieuwe' brug, die over de kop van het Île de la Cité loopt, is de oudste nog bestaande brug van de stad. Toen Hendrik IV, wiens ruiterstandbeeld op de brug staat, hem in 1607 inwijdde, was hij zeer modern. Voor het eerst werd in Parijs het uitzicht van de brug op de Seine niet door huizen belemmerd. Deze beroemdste brug over de Seine is vaak bezongen en geschilderd en fungeerde als decor in veel films. Van de plaats waar het ruiterstandbeeld staat, hebt u een schitterend uitzicht op het gebouwencomplex van het Louvre. *1ste/6de arr. | M 7: Pont Neuf*

8 RUE MOUFFETARD [125 E2–4]
Al in de Romeinse tijd slingerde dit levendige straatje zich van de Montagne Sainte-Geneviève naar omlaag. Studenten van omliggende onderwijsinstellingen, toeristen en lokale bewoners zijn allemaal even dol op de smalle straat met zijn goed voorziene dagmarkt en kleine cafés en boetieks. Aan het hogere deel van de 'Mouff' ligt de schilderachtige *Place de la Contrescarpe* met een paar aardige cafés. *5de arr. | M 7: Place Monge*

9 SAINTE-CHAPELLE [119 D6]
Dit juweel van gotische bouwkunst ligt enigszins verborgen op de binnenplaats van het Paleis van Justitie op het Île de la Cité. De 13de-eeuwse kerk herbergt kostbare relieken uit het Heilige Land. De lichtwerking van de enorme, ten hemel strevende gebrandschilderde ramen is adembenemend. Ze worden slechts door schoorpijlers van filigreinwerk bijeengehouden en dompelen de hele ruimte in een blauwig licht. De bovenverdieping is de eigenlijke kapel en was voorbehouden aan de koning. *Maart–okt. dag. 9.30–18.00 uur; nov.–feb. dag. 9.00–17.00 uur | circa 8 euro (incl. Conciergerie 10 euro) | Bd. du Palais 4 | 1ste arr. | M 4: Saint-Michel, Cité | www.sainte-chapelle.monuments-nationaux.fr*

10 SAINT-GERMAIN-DES-PRÉS [118 C6]
Van de ooit zo machtige benedictijnenabdij uit de 8ste eeuw is alleen nog een klokkentoren bewaard gebleven. Hier werd de Bijbel voor het eerst in het Frans vertaald en hier ligt de filosoof René Descartes begraven. *Ma 12.30–19.45, di–zo 8.00–19.45 uur | Pl. Saint-Germain-des-Prés 3 | 6de arr. | M 4: Saint-Germain-des-Prés*

11 SAINT-SULPICE [124 C1]
Deze uit de 17de eeuw stammende kerk met twee elegante zuilenrijen verheft zich aan een levendig plein met een Romeinse waterput. Ook de twee schilderijen van Eugène Delacroix in de eerste kapel rechts moet u zeker bekijken. *Dag. 8.00–19.30 uur | Rue Palatine 2 | 6de arr. | M 4: Saint-Sulpice*

OOK BEZIENSWAARDIG

BELLEVILLE [120–121 C–D 1–2]
In tegenstelling tot het rijke westen van de stad heeft de wijk Belleville zijn volkse karakter grotendeels bewaard. Hier wonen arbeiders, lager

betaald kantoorpersoneel, maar ook veel immigranten. In enkele *musette*-kroegen is nog het authentieke buurtleven, zonder toeristische drukte, terug te vinden – bijna net zoals toen Edith Piaf hier opgroeide; het kleine *Musée Edith Piaf* toont fragmenten uit haar leven *(ma–wo 13.00–18.00, do 10.00–12.00 uur | alleen na tel. afspraak, tel. 01–43555272 | gratis toegang | Rue Crespin du Gast 5).* Sinds ook kunstenaars de charme van de wijk en de nog relatief lage huurprijzen hebben ontdekt, komt Belleville steeds meer in de mode.

Vanaf de belvedère boven het nieuw aangelegde Parc de Belleville hebt u een mooi uitzicht over Parijs en de steil tegen de berg oplopende straatjes. *20ste arr. | M 2, 11: Belleville*

BIBLIOTHÈQUE NATIONALE DE FRANCE (SITE FRANÇOIS MITTERRAND) [126 C5]

Een prestigieus project van architect Dominique Perrault uit het tijdperk Mitterrand: vier kolossale torens in de vorm van opengeslagen boeken staan rond een klein bos. De op het eerste gezicht zeer indrukwekkende *Très Grande Bibliothèque,* die in 1996 werd voltooid, kampt echter met tal van gebreken. Een van de grootste problemen is dat de in de glazen toren bewaarde boeken aan veel te veel zonlicht zijn blootgesteld. *Di–za 10.00–19.00, zo 13.00–19.00 uur | toegang circa 3 euro, tentoonstellingen circa 7 euro | Quai François Mauriac | 13de arr. | M 14/ RER C: Bibliothèque François Mitterrand | www.bnf.fr*

Naar de studio's, tentoonstellingen, leeszalen: oostingang van de Bibliothèque Nationale

BOIS DE BOULOGNE [108-109 B-E6]

Deze 8,45 km^2 grote groene long in het westen van Parijs was aan het begin van de 20ste eeuw de plaats waar de mondaine Parijzenaar zich ging ontspannen. Er liggen veel wandel-, ruiter- en fietspaden, meertjes, paardenrenbanen en restaurants in dit helaas ook door verschillende wegen doorsneden park met zijn bossen. In de 18de eeuw heeft de adel hier kleine lustsloten laten bouwen. Het bekendst is het kasteeltje Bagatelle in het *Parc de Bagatelle (toegang circa 3 euro)*, dat zeer goed onderhouden is. Naast de waterlopen is de rozentuin een waar hoogtepunt voor bloemenliefhebbers. **De nabijgelegen *Jardin d'Acclimatation (toegang circa 2,90 euro)* is een kinderparadijs zonder al te geavanceerde attracties en ook voor volwassenen aangenaam.** *M 1: Les Sablons*

LES CATACOMBES [124 B5]

Uit deze onderaardse steengroeven werd het materiaal gewonnen voor de Parijse bouwwerken. Het meer dan 300 km lange gangenstelsel, waarin Parijzenaars soms 's nachts feestvieren, kan voor een deel worden bezichtigd. Omdat de begraafplaatsen tot in de 18de eeuw overvol waren, heeft men hier de beenderen van vorige generaties decoratief opgestapeld. *Di–zo 10.00–16.00 uur | circa 8 euro | begin rondleiding: Pl. Denfert-Rochereau 1 | 14de arr. | M 4, 6/RER B: Denfert-Rochereau*

CIMETIÈRE DE MONTMARTRE [112 B3-4]

Op deze schilderachtige begraafplaats hebben veel kunstenaars en schrijvers, onder wie Hector Berlioz, Heinrich Heine, Alexandre Dumas, Edgar Degas, Jacques Offenbach, François Truffaut, Émile Zola en Stendhal, hun laatste rustplaats gevonden. *Dag. 8.00–17.30 uur | Av. Rachel | 18de arr. | M 2: Blanche, M 13: La Fourche*

CIMETIÈRE DU PÈRE LACHAISE ★ [121 E-F 4-5]

Met een oppervlak van 44 ha, 12.000 bomen en 1,5 miljoen graven is dit de grootste en vanwege de voor een deel pompeuze grafmonumenten specta-

In het Bois de Boulogne vindt u zelfs een flinke waterval

culairste begraafplaats van Parijs. De graven van Jim Morrison, zanger van The Doors, en Edith Piaf zijn echte bedevaartsoorden, maar ook baron Haussmann, Honoré de Balzac, Marcel Proust, Oscar Wilde, Frédéric Chopin en Molière liggen hier. *Dag. 8.30–17.00 uur | Rue du Repos 16 | 20ste arr. | M 2, 3: Père Lachaise*

Fantasierijk grafmonument op de begraafplaats Père Lachaise

GRANDE ARCHE EN LA DÉFENSE [108 A3–4]

De in de jaren vijftig en zestig van de 20ste eeuw ontstane grootste kantorenstad van Europa met zijn vele hoogbouw werd in de jaren tachtig en negentig nog eens uitgebreid. Het opvallendste bouwwerk dat in die periode werd opgericht, is de *Grande Arche* van de Deense architect Otto von Spreckelsen. Glazen liften brengen u naar het uitzichtplatform van de met glas en carraramarmer beklede boog, waar de Notre-Dame gemakkelijk onder zou passen. Boven hebt u een fantastisch uitzicht op de grote zichtas in de richting van de Arc de Triomphe en op de in de onmiddellijke nabijheid gelegen, voor een deel futuristisch aandoende wolkenkrabbers van *La Défense* met hun spiegelende glazen gevels. *April–sept. dag. 10.00–20.00 uur; okt.–maart dag. 10.00–19.00 uur | toegang circa 10 euro | M 1/RER A: La Défense | www.grandearche.com*

MONTPARNASSE [124 A–B 3–4]

De boven alles uittorenende wolkenkrabber *Tour Montparnasse* is eigenlijk alleen te genieten als u er bovenop staat, op het uitzichtterras, het hoogste van Parijs *(april–sept. 9.30–23.30 uur; okt.–maart 9.30–22.30 uur | toegang circa 10,50 euro).* Tussen voor een deel foeilelijke gebouwen uit de jaren 1960 duiken echter soms plotseling idyllische binnenplaatsen en ateliers op, waarin grote kunstenaars hebben gewerkt en die ook nu nog door kunstenaars worden gebruikt. In de *Chemin du Montparnasse* aan de Avenue du Maine werkten na de Eerste Wereldoorlog onder anderen Pablo Picasso, Amedeo Modigliani, Marc Chagall en Henri Matisse. De zaken waar zij kwamen, zoals La Coupole, Closerie des Lilas, Le Dôme en La Rotonde, zijn ook nu nog geliefde trefpunten. In La Rotonde hielden Lenin en Lev Trotski ooit politieke bijeenkomsten, die regelmatig door de politie werden onderbroken. Op de *Cimetière du Montparnasse* rusten onder anderen de schrijvers Samuel Beckett, Charles Baudelaire en het schrijverspaar Jean-Paul Sartre en Simone de Beauvoir. *19de arr. | M 4, 6, 12, 13: Montparnasse-Bienvenüe, M 6: Edgar Quinet*

MUSÉE MARMOTTAN [O] Insider Tip

Het schilderij dat het impressionisme zijn naam gaf, *Impression soleil levant,* hangt met honderd andere meesterwerken van Claude Monet (1840–1926) op de benedenverdieping van deze prachtige villa nabij het Bois de Boulogne. Fraaie Bijbeltaferelen en schilderijen uit de privéverzameling van Monet (van Edgar Degas, Édouard Manet, Auguste Renoir) sieren de kamers boven. Een must voor elke liefhebber van het impressionisme! *Di 11.00–21.00, wo–zo*

> BLOGS & PODCASTS

Goede dagboeken en files op het internet

> *www.parijsblog.nl* – Blog van Olivier van Beemen, die zich in oktober 2002 als freelancejournalist in Parijs vestigde
> *www.spirit-of-paris.com* – Een verzameling fraaie foto's om in de stemming te komen voor uw verblijf in Parijs
> *http://weblogs.nos.nl/parijs* – Blog van Saskia Dekkers, correspondente van de NOS in Parijs, met nieuwsachtergronden
> *www.paris35.com* – Hier wordt een hele reeks voor Parijs zeer voordelige hotels onder de 35 euro per nacht aangeboden
> *www.devries.fr/parijs* – Blogs van correspondent Stefan de Vries onder het motto: 'Leven als De Vries in Frankrijk'
> *www.hurktoilet.nl/weblog/blog.php* – Blog met actuele toeristische informatie over heel Frankrijk, met onderwerpen als het Franse toilet, maar ook aandacht voor aparte regio's en Parijs en handige links naar andere interessante sites over Frankrijk

De Marco Polo-redactie is niet verantwoordelijk voor de inhoud van blogs en podcasts.

11.00–18.00 uur | toegang circa 9 euro | Rue Louis Boilly 2 | 16de arr. | M 9: La Muette | www.marmottan.com

PARC DES BUTTES-CHAUMONT [114-115 C-E 5-6]
Op een vuilnisbelt in het destijds beruchte oosten van Parijs liet Napoleon III in de 19de eeuw een pittoresk landschap in Engelse stijl aanleggen met grotten, rotsformaties, dalen, tempeltjes en watervallen. Met behulp van de voor die tijd modernste technieken en veel springladingen werd het terrasvormige terrein zeer gevarieerd vormgegeven (er werd onder andere een meer met eiland aangelegd) en met een exotische vegetatie beplant. *19de arr. | M 7b: Buttes-Chaumont*

PLACE DU TERTRE [113 D4]
Van de vroegere dorpse rust is weinig meer overgebleven. In plaats daarvan trekt het plein drommen toeristen die zich door een meer of minder getalenteerde kunstenaar laten portretteren. In de cafeetjes die het plein omringen, kunnen ze daarna dagdromen over de tijd waarin de heel groten in deze beroepsgroep hier actief waren. *M 12: Abesses*

SACRÉ-CŒUR [113 D4]
Bijna onwerkelijk straalt de verblindend witte basiliek hoog boven de stad op de heuvel van Montmartre. Volgens spotlustigen is deze koepel meer een uit de hand gelopen grap van een suikerbakker. Binnen trekt het reusachtige gouden mozaïek naar

> PAARDEN – RUGBY – TENNIS

In Parijs is voetbal slechts bijzaak

Paardenrennen in alle varianten zijn een grote passie van Fransen. Er zijn verschillende renbanen in Parijs en omgeving. Informatie: *www.france-galop.com*
De drie belangrijkste banen zijn *Auteuil* [128 A4] *(Route des Lacs | M 10: Porte d'Auteuil)*, *Saint-Cloud* [0] *(Rue du Camp Canadien 1 | tram 2: Suresnes Longchamp)* en *Longchamp* [0] *(Route des Tribunes | Bois de Boulogne | M 10: Porte d'Auteuil | pendelbussen)*. In het eerste weekend van oktober trekken er zo'n 30.000 bezoekers naar Longchamp voor de Prix de l'Arc de Triomphe. Informatie: *www.prixarcdetriomphe.com*. Op de laatste zondag in januari wordt de drafren Prix d'Amerique gereden in het *Hippodrome de Vincennes* [0] *(Route de la Ferme | RER A: Joinville Le Pont)*, informatie: *www.prix-amerique.com*.
Met de Club Stade Français beschikt Parijs over een van de beste rugbyclubs van het land. Het spel met de eivormige bal heeft zich tot een echte volkssport ontwikkeld. Inlichtingen: *www.stade.fr*. De club speelt in het *Stade Jean-Bouin* [128 A4] *(Av. du Général Sarraute 26 | 16de arr.)*.
Elk jaar in mei/juni wordt een van de grootste tennistoernooien ter wereld gehouden in Roland Garros. Tickets (tot half maart) zijn verkrijgbaar op *www.frenchopen.org* en *www.rolandgarros.com*, en op kleine schaal ook aan de kassa van het *Stade Roland Garros* [128 A4] *(Av. Cordon Bennett 2 | 16de arr. | M 9, 10, 22: Porte de Saint-Cloud of Porte d'Auteuil)*.

Byzantijns voorbeeld de aandacht. Het bouwwerk werd opgericht als nationaal monument na de nederlaag van Frankrijk in de oorlog van 1870/1871 tegen Duitsland. In 1919 werd de bedevaartskerk aan het Heilig Hart van Jezus gewijd. Nu beklimmen dagelijks duizenden toeristen de vele trappen om vanaf het voorplein van het uitzicht over de stad te genieten. Wie opziet tegen de klim, kan de *funiculaire* nemen. *Dag. 6.00–23.00 uur | Rue du Chevalier de la Barre 35 | 8ste arr. | M 2: Anvers*

SAINT-DENIS [O]

Indrukwekkende vroeggotische pijlerbasiliek, die toonaangevend voor deze bouwstijl in heel Frankrijk zou worden. Tot de hoogtepunten van een bezoek aan de in de Parijse voorstad Saint-Denis gelegen kerk behoren ook de *koningsgraven.* Vele eeuwen lang lieten bijna alle heersers van het land zich hier bijzetten; er zijn meer dan 70 grafmonumenten te bewonderen in de crypte. De eerste kerk werd in de 5de eeuw gebouwd op de plaats waar de martelaar Dionysius in 250 met zijn op Montmartre afgehakte hoofd onder de arm naartoe gelopen zou zijn. *'s Zomers dag. 10.00–18.00 uur; 's winters dag. 10.00–17.00 uur | graven: circa 7 euro | M 13: Basilique de Saint-Denis | www.saint-denis.monuments-nationaux.fr*

Geïdealiseerde grafmonumenten van Lodewijk XVI en Marie-Antoinette in Saint-Denis

> BON APPÉTIT – ZOWEL 'S MIDDAGS ALS 'S AVONDS

Genieten van spijs en drank en van het leven: in de restaurants in Parijs kan het allemaal

> Eten betekent voor de Fransen veel meer dan alleen het innemen van voedsel. Het is ook een middel van sociaal contact en een deel van het savoir-vivre.

Als u de veelzijdige gastronomie van Frankrijk wilt leren kennen, die in Parijs een centrum met de meeste toprestaurants ter wereld bezit, moet u in ieder geval op de hoogte zijn van een paar fundamentele wetenswaardigheden over de Franse eetgewoonten.

Foto: Restaurant Senderens

Het ontbijt *(petit déjeuner)* is in Frankrijk, vergeleken met wat we in Nederland en België gewend zijn, bescheiden. U moet tenslotte ruimte overhouden voor een uitgebreide lunch *(déjeuner),* die zo'n twee uur in beslag neemt en meestal half zo duur is als het avondeten *(diner).*

De meeste restaurants gaan 's avonds niet voor 20.00 uur open. Na een aperitief (kir, champagne of pastis), waarmee de werkdag wordt afgeslo-

ETEN & DRINKEN

ten, komt doorgaans een *amuse-gueule* (een klein hapje) op tafel, als inleiding op de maaltijd die volgt. Daarna moet de fundamentele keus tussen een diner *à la carte* of een *menu* worden gemaakt. Bij de eerste mogelijkheid bent u vrij in uw keuze, maar moet u dieper in de portemonnee tasten. Gelukkig wordt tegenwoordig niet meer van u verwacht dat u drie of vier gangen kiest. Een voor- en een hoofdgerecht, of een hoofdgerecht en een dessert moet u toch altijd wel uitzoeken. Een menu bestaat traditioneel uit een voorgerecht *(entrée)*, hoofdgerecht *(plat)* – meestal vlees *(viande)* of vis *(poisson)* – kaas *(fromage)* en dessert. Vaak kunt u kiezen tussen kaas en een dessert. Kraanwater *(eau en carafe)* en brood *(pain)* staan gratis op tafel. Een *café* of een *déca* (cafeïnevrije koffie) tot besluit van de maaltijd mag niet ontbreken.

Een goed restaurant is altijd te herkennen aan de uitgebreide wijnkaart. Wijn *(vin)* wordt uitsluitend bij het eten geschonken, nooit erna. Als fooi *(pourboire)* is 5–10 procent gebruikelijk.

BRASSERIEËN

Brasserieën horen bij Parijs zoals bruine cafés bij Amsterdam. Brasserieën zijn – in tegenstelling tot de

De bohème uit de jaren 1920 kwam al in Les Deux Magots

kleine, knusse bistro met zijn bescheiden menukaart – tamelijk grote brouwerij-eethuizen die rond 1900 zijn ontstaan en waar naast visspecialiteiten veelal stevige gerechten op tafel komen. Met hun vaak prachtige inrichting uit de belle époque staan er vele op de monumentenlijst. Het eten is in brasserieën weliswaar niet heel goedkoop, maar altijd nog zeer betaalbaar (€€).

BOFINGER [120 B6]

Onder de indrukwekkende glazen art-nouveaukoepel is zuurkool met zeevruchten in trek. *Dag. | Rue Bastille 5 | 4de arr. | tel. 01–42728782 | M 1, 5, 8: Bastille | www.bofingerparis.com*

BRASSERIE LIPP [118 B6]

Beroemde brasserie, in 1880 begonnen door een Elzasser. Traditiegetrouw komen hier veel politici en schrijvers. *Dag. | Bd. Saint-Germain 151 | 6de arr. | tel. 01–45485391 | M 4: Saint-Germain-des-Prés | www.brasserielipp.fr*

LA COUPOLE ★ [124 B3]

Art-decojuweel waar filmmensen en andere kleurrijke figuren elkaar ontmoeten. Rond 1920 kwamen hier kunstenaars als Marc Chagall, Pablo Picasso en Salvador Dalí. De 33 zuilen van deze grootste brasserie van Parijs, die overdag als koffiehuis wordt gebruikt, zijn door kunstenaars beschilderd. *Dag. | Bd. du Montparnasse 102 | 14de arr. | tel. 01–43201420 | M 4: Vavin | www.flobrasseries.com*

JULIEN ★ [119 F2]
Het overdadige stucwerk tussen met bloemen omrankte art-nouveaudames en reusachtige spiegels maakt grote indruk op iedereen die dit traditierijke eethuis bezoekt. *Dag. | Rue du Faubourg Saint-Denis 16 | 10de arr. | tel. 01–47701206 | M 4, 8, 9: Strasbourg-Saint-Denis | www.julienparis.com*

KOFFIE- & THEESALONS

ANGÉLINA [118 B3]
De klassiekers van deze mondainste koffiesalon van de stad zijn warme chocolademelk en *montblanc*, een halve bol schuimgebak met kastanjecrème. *Dag. | Rue de Rivoli 226 | 1ste arr. | tel. 01–42608200 | M 1: Tuileries*

CAFÉ DE FLORE [118 B6]
Een instituut. Sinds de tijd van Simone de Beauvoir en Jean-Paul Sartre, die hier stamgasten waren, komen er kunstenaars, schrijvers en intellectuelen bijeen – tegenwoordig vooral de jetset. *Dag. | Bd. Saint-Germain 172 | 6de arr. | tel. 01–45485526 | M 4: Saint-Germain-des-Prés | www.cafe-de-flore.com*

LADURÉE [118 A3]
Rijk ingerichte *salon de thé* uit de 19de eeuw, met prachtige plafondfresco's. Vooral beroemd om zijn heerlijke kastanje-*macarons*, die in alle denkbare kleuren en smaken verkrijgbaar zijn en natuurlijk ook kunnen worden meegenomen. *Dag. | Rue Royale 16 | 8ste arr. | tel. 01–42602179 | M 8, 12, 14: Madeleine | www.laduree.fr*

LES DEUX MAGOTS [118 B6]
De aanduiding *café littéraire*, waarmee deze zaak zichzelf aanprijst, is

MARCO POLO HIGHLIGHTS

★ La Coupole
Art-decopronkstuk met een artistieke achtergrond (bladzijde 58)

★ Julien
De mooiste brasserie van de stad (bladzijde 59)

★ Bel Canto
Verfijnde Italiaanse keuken, met gratis aria's (bladzijde 61)

★ Les Ombres
Modern restaurant met een fantastisch uitzicht op de Eiffeltoren (bladzijde 62)

★ Senderens
Waar waren die drie sterren eigenlijk voor nodig... (bladzijde 62)

★ Le Train Bleu
Prachtig fin-de-siècle-interieur – een feest voor de zintuigen (bladzijde 62)

★ Le Dome du Marais
Heerlijk eten onder een prachtige glazen koepel (bladzijde 63)

★ L'Escargot Montorgueil
Traditioneel restaurant uit de tijd van de oude Hallen (bladzijde 63)

helemaal terecht. Hij is minstens zo beroemd als het naburige Café de Flore. De naam verwijst naar de twee Chinese porseleinen beeldjes die binnen staan. Op het terras tegenover de kerk Saint-Germain-des-Prés is het goed toeven. *Dag. | Pl. Saint-Germain-des-Prés 6 | 6de arr. | tel. 01–45485525 | M 4: Saint-Germain-des-Prés | www.lesdeuxmagots.fr*

MARIAGE FRÈRES [110 C6]
Theesalon in elegante koloniale stijl, met een assortiment dat haast niet te overtreffen is. Hier vindt u exquis gebak en alles wat met thee te maken heeft. U kunt er ook quiche lorraine en salades eten. *Dag. | Rue du Faubourg Saint-Honoré 260 | 8ste arr. | tel. 01–46221854 | M 2: Ternes | www.mariagefreres.fr*

> EETPALEIZEN

Culinaire experimenten, perfecte bediening

LES AMBASSADEURS [117 F3]
In een luisterrijke balzaal uit de 18de eeuw worden de culinaire creaties van Jean-François Piège geserveerd. Menu vanaf 220 euro. *Zo/ma gesloten | Hotel Crillon | Pl. de la Concorde 10 | 8ste arr. | tel. 01–44711616 | M 1, 8, 12: Concorde | www.crillon.com*

LE GRAND VEFOUR [118 C3]
Het weelderige, met goud overladen decor van dit restaurant in het 18de-eeuwse Palais Royal is de ideale omgeving voor een topkeuken. Menu vanaf 268 euro. *Za/zo gesloten (vr alleen lunch, aug. gesloten) | Rue Beaujolais 17 | 1ste arr. | tel. 01–42965627 | M 1, 7: Palais Royal-Musée du Louvre | www.grand-vefour.com*

JULES VERNE [116 B5]
Hier kunt u genieten van de exclusieve keuken van topkok Alain Ducasse, met Parijs aan uw voeten. Vanwege het fraaie uitzicht kunnen de stoelen draaien. Menu vanaf 165 euro. *Dag. | lift naar de 2de etage van de Eiffeltoren (7de arr.) | tel. 01–45556144 | M 6: Bir Hakeim | www.lejulesverne-paris.com*

LE MEURICE [118 B3]
Chef-cuisinier Yannick Alléno is een van de rijzende sterren aan het gourmetfirmament. Prachtige eetzaal. Menu vanaf 170 euro. *Za/zo gesloten | Rue de Rivoli 228 | 1ste arr. | tel. 01–44581055 | M 1: Tuileries | www.lemeurice.com*

PIERRE GAGNAIRE [117 D2]
Niet alleen het interieur van dit restaurant, waar driesterrenkok Pierre Gagnaire regeert, is modern. Ook de creaties uit de keuken zijn vernieuwend. Menu vanaf 255 euro. *Za gesloten (zo alleen diner, aug. alleen lunch) | Hotel Balzac | Rue Balzac 6 | 8ste arr. | tel. 01–58361250 | M 1: George V | www.pierre-gagnaire.com*

PLAZA ATHÉNÉE [117 D3]
Origineel design in verschillende stijlen in het gelijknamige hotel. Chef-kok Alain Ducasse behoort tot de zeer groten van zijn vak. Menu vanaf 260 euro. *Za/zo gesloten (ma–wo alleen diner, half juli–half aug. gesloten) | Av. Montaigne | 8ste arr. | tel. 01–53676500 | M 1, 9: Franklin D. Roosevelt | www.alain-ducasse.com*

LA PALETTE [118 C6]
Een zowel 's middags als 's avonds levendig koffiehuis met terras in de buurt van de kunstacademie. Een klassieker. *Zo gesloten | Rue de Seine 43 | 6de arr. | tel. 01–43290942 | M 4: Saint-Germain-des-Prés*

RESTAURANTS €€€

BEL CANTO ★ [119 E5]
Een restaurant met een extraatje: bij de verfijndste Italiaanse gerechten zingen volleerde operazangers, begeleid op de piano, aria's van Verdi, Puccini en anderen. Een belevenis. *Dag. (alleen diner) | Quai de l'Hôtel de Ville 72 | 4de arr. | tel. 01–42783018 | M 1, 11: Hôtel de Ville |* www.lebelcanto.com

LE BÉLIER [118 C5]
De inrichting hier doet denken aan een schilderij van Johannes Vermeer. Topdesigner Jacques Garcia heeft het intieme restaurant in het chique *L'Hôtel* tot een sieraad omgetoverd. Gezeten in een gemakkelijke stoel, omhuld door rustige, klassieke muziek, kunt u nog altijd goed begrijpen waarom schrijver en estheticus Oscar Wilde hier zijn laatste dagen sleet. De ambiance in aanmerking genomen zijn de lunchmenu's alleszins betaalbaar. *Dag. (aug. zo/ma gesloten) | Rue des Beaux Arts 13 | 6de arr. | tel. 01–44419900 | M 4: Saint-Germain-des-Prés |* www.l-hotel.com

CITRUS ÉTOILE [116 C1]
Uit de keuken van Gilles Épié komen zeer verfijnde spijzen – klassieke Franse gerechten in een moderne interpretatie, met Aziatische en Californische invloeden. De ambiance is aangenaam onopdringerig. Het restaurant ligt om de hoek bij de Arc de Triomphe. *Za/zo alleen voor besloten gezelschappen | Rue Arsène Houssaye 6 | 8ste arr. | tel. 01–42891551 | M 1, 2, 6, RER A: Étoile |* www.citrusetoile.fr

In Le Grand Vefour wordt de champagne stijlvol en deskundig geserveerd

HIRAMATSU [116 A3]
De critici zijn enthousiast over deze 'Japanse Alain Ducasse'. Hiroyuki Hiromatsu, de chef-cuisinier uit het Verre Oosten, tovert op unieke wijze klassieke Franse gerechten voor zijn gasten op tafel. Verrukkelijk! *Za/zo gesloten | Rue de Longchamp 52 | 16de arr. | tel. 01–56810880 | M 6, 9: Trocadéro |* www.hiramatsu.co.jp/fr/

LES OMBRES ★ [116 C4]
Vrijwel nergens hebt u zo'n fantastisch uitzicht op de Eiffeltoren als door het glazen dak van dit restaurant in het Musée Quai Branly. In de zomer kunt u op het prachtige terras genieten van deze fraaie achtergrond – en van de fantasievol klaargemaakte gerechten. *Dag. | Quai Branly 27 | 7de arr. | tel. 01–47536800 | M 9: Iéna | www.lesombresrestaurant.com*

SENDERENS ★ [118 A2]
In plaats van 300 euro hoeft u nu nog maar zo'n 150 euro neer te tellen om bij Alain Senderens, een van de beroemdste cuisiniers van de stad, te mogen eten. De vroegere chef-kok van het Lucas Carton heeft zijn drie Michelinsterren teruggegeven en een – zeer exquise – restaurant in brasseriestijl geopend. *Dag. | Pl. de la Madeleine 9 | 8ste arr. | tel. 01–42652290 | M 8, 12, 14: Madeleine | www.senderens.fr*

LE TRAIN BLEU ★ [126 C2]
Dit is zonder twijfel de mooiste stationsrestauratie ter wereld. In de 6 m hoge zaal waant u zich in een van de slotzalen van Versailles. Als u het eten hier te duur vindt, kunt u altijd nog met een cocktail in de hand in een van de leren fauteuils in de bar van de sfeer genieten. *Dag. | Gare de Lyon, 1ste etage | 12de arr. | tel. 01–43430906 | M 1, 14/RER A, D: Gare de Lyon | www.le-train-bleu.com*

RESTAURANTS €€

ALCAZAR [118 C6]
Ontmoetingsplaats van de jetset met de signatuur van sir Terence Conran. In de bar op de bovenverdieping wordt de muziek verzorgd door de beste dj's van de stad. De keuken is zeer veelzijdig – inclusief klassieke Franse gerechten onder het motto 'terug naar de traditie'. *Dag. | Rue Mazarine 62 | 6de arr. | tel. 01–53101999 | M 4, 10: Odéon | www.alcazar.fr*

Niet slecht voor een stationsrestauratie: het belle-époquerestaurant Le Train Bleu

CAFÉ MARLY [118 C4]
Vanaf het terras van dit chique restaurant hebt u een geweldig uitzicht op het Louvre. Vooral in de periode van de Parijse modeshows zit het hier vol – met een jong, internationaal publiek. *Dag. | Palais du Louvre | Rue de Rivoli 93 | 1ste arr. | tel. 01–49260660 | M 1, 7: Palais Royal-Musée du Louvre*

CHANTAIRELLE [125 E2]
Dit restaurant is een hommage aan de Auvergne. Alles wat op tafel komt, behalve het ijs, is afkomstig uit deze Midden-Franse regio. De voedzame, smakelijke gerechten passen helemaal bij de rustieke ambiance en de mooie, kleine binnenplaats. Wie dat wil, kan delicatessen uit de Auvergne mee naar huis nemen. *Dag. (za/zo en aug. alleen diner) | Rue Laplace 17 | 5de arr. | tel. 01–46331859 | M 10: Cardinal Lemoine | www.chantairelle.com*

LE DÔME DU MARAIS ★ [120 A5]
Er staan maar weinig tafels onder de stijlvolle glazen koepel in de wintertuinachtige zaal, zodat hier een intieme, elegante sfeer heerst. De keuken is zorgvuldig afgestemd op verse producten van het seizoen. *Zo/ma gesloten | Rue des Francs-Bourgeois 53 bis | 4de arr. | tel. 01–42745417 | M 1: Saint-Paul | www.ledomedumarais.fr*

L'ESCARGOT MONTORGUEIL ★ [119 E4]
Traditierijk restaurant uit 1832 in empirestijl. Hier kwamen ooit Marcel Proust, Charlie Chaplin, Pablo Picasso en Jackie Kennedy. Bij de ingang ziet u een plafondschildering uit de eetkamer van de beroemde actrice Sarah Bernhardt, die hier ook graag dineerde. Niet alleen de slakken waaraan het restaurant zijn naam ontleent, maar ook gerechten uit de vroeger aangrenzende markthallen staan op de kaart. *Za lunch gesloten | Rue Montorgueil 38 | 1ste arr. | tel. 01–42368351 | M 4: Étienne Marcel | www.escargot-montorgueil.com*

LA GARE [128 B4] Insider Tip
In een verbouwd station staan de tafels op originele wijze opgesteld tussen de voor een deel nog aanwezige rails en onder een glazen dak. Ook de bar en het terras van deze gelegenheid in de deftige Passywijk zijn *à la mode*. Soms thema-avonden, in het weekend dj's. *Dag. | Ch. de la Muette 19 | 16de arr. | tel. 01–42151531 | M 9: La Muette | www.restaurantlagare.com*

MACEO [118 C3]
Een vernieuwend, hypermodern restaurant met een grote, lichte en aangename eetzaal. Ook vegetarische gerechten. Een kleine bibliotheek en een bar nodigen uit om wat langer te blijven *Za alleen diner, zo gesloten | Rue des Petits-Champs 15 | 1ste arr. | tel. 01–42975385 | M 3: Bourse | www. maceorestaurant.com*

LE MOULIN DE LA GALETTE [112 C4]
Legendarische molen, die in 1830 in een al spoedig populaire en nog altijd beroemde balzaal werd omgetoverd en door grote schilders als Henri de Toulouse-Lautrec werd vereeuwigd. Het prettige, modern ingerichte restaurant met een kleine binnentuin biedt een uitstekende keuken. *Dag. |*

Rue Lepic 83 | 18de arr. | tel. 01–46068477 | M 12: Abbesses

Insider Tip

LE SUD [110 A6]

U voelt zich hier als in een Zuid-Frans dorp, maar dan met een glazen overkapping. Fraaie ambiance, vriendelijke bediening en lekkere Provençaalse specialiteiten. Reserveren, want het is erg populair. *Di gesloten | Bd. Gouvion Saint Cyr 91 | 17de arr. | tel. 01–45740277 | M 1/RER C: Porte Maillot | www.lesud.fr*

RESTAURANTS €

BOUILLON RACINE [125 D1]

Over twee verdiepingen hangen sprookjesachtig mooie art-nouveau-ornamenten tussen vensters, spiegels en een lambrisering, die in rustig lentegroen is gehouden. Zelfs de fraaie mozaïekvloer van deze voormalige arbeiderskantine is zorgvuldig gerestaureerd. De keuken, met Belgisch accent, is al even verzorgd. *Dag. | Rue Racine 3 | 6de arr. | tel. 01–44321560 | M 10/RER B: Cluny-La Sorbonne | www.bouillon-racine.com*

CAFÉ DE L'INDUSTRIE [120 B6]

Dit in koloniale stijl ingerichte restaurant kent een losse, jeugdige cafésfeer. Op de kaart staan smakelijke dagmenu's die ook buiten de gebruikelijke etenstijden worden geserveerd. U kunt een keus maken uit gerechten die staan vermeld op schoolborden die tussen foto's van zwarte schoonheden aan de muur hangen. *Dag. | Rue Saint-Sabin 16 | 1ste arr. | tel. 01–47001353 | M 1, 5, 8: Bastille*

CALIFE [118 C5]

Het ideale diner voor verliefde stellen: een twee uur durende boottocht (21.00–23.00 uur) langs de Seine-eilanden inclusief een driegangenmenu voor circa 50 euro. De booteigenaar, een musicus, heeft de *Calife* jarenlang met grote zorg gerestaureerd. Er vinden ook muziekevenementen plaats, dus reserveer vooral tijdig. *Dag. | Quai Malaquais/nabij de Pont des Arts | 6de arr. | tel. 01–43545004 | M 1: Louvre-Rivoli | www.calife.com*

CHEZ MARIANNE [119 F5]

Om de hoek van de drukke Rue des Rosiers, midden in de Marais, ligt dit levendige restaurant met terras en

> LOW BUDGET

- Midden in de trendy wijk rond de Rue Oberkampf wordt op zaterdag vanaf 20.30 uur in *Le Grenier* [121 D3] tegen een bijdrage van minder dan 5 euro voor de drankjes gratis couscous geserveerd. *Rue Oberkampf 152 | 11de arr. | tel. 01–48051352 | M 2: Ménilmontant*
- Wie een internationale studentenkaart laat zien kan vanaf 2,60 euro voordelig eten in een van de 16 ▶▶ *Restos U.* Deze liggen meestal in de buurt van universiteitsgebouwen *http://en.parisinfo.com/paris-restaurants/university-refectories/*
- Zeer voordelige specialiteiten uit Zuidwest-Frankrijk en Baskenland in het eenvoudige eethuis *Chez Glandines* [125 E6] in de uitgaanswijk Butte-aux-Cailles. *Dag. | Rue des Cinq Diamants 30 | 13de arr. | tel. 01–45807010 | M 6: Corvisart*

delicatessenwinkel. U zou in ieder geval het populaire oriëntaalse voorgerechtentableau moeten proberen. Reserveren is hier echt nodig. *Dag. | Rue des Hospitalières Saint-Gervais 2 | 4de arr. | tel. 01–42721886 | M 1: Saint-Paul*

ten | Rue Rambuteau 100 | 1ste arr. | tel. 01–42331756 | M 4: Les Halles

LE MESTURET [118 C2] Insider Tip

Vanwege de verse ingrediënten en het vriendelijke personeel mag het geen wonder heten dat dit eethuis enige tijd geleden is uitgeroepen tot beste bistro van het jaar. *Za alleen diner, zo gesloten | Rue de Richelieu 77 | 2de arr. | tel. 01–42974068 | M 3: Bourse | www.lemesturet.com*

Het aanbod bestuderen, bespreken en proberen: het is moeilijk kiezen in Chez Marianne

CRÊPERIE DE PLOUGASTEL [124 A3]

Volgens velen een van de beste crêperies van de stad. Vooral erg lekker zijn de crêpes met karamel. *Dag. | Rue Montparnasse 47 | 14de arr. | tel. 01–42799063 | M 6: Edgar Quinet*

LA FRESQUE [119 E4]

In dit kleine restaurant naast het winkelcentrum Les Halles vindt u niet alleen bijna altijd goedgehumeerde obers, maar ook een typisch Parijse sfeer. Prima prijs-kwaliteitverhouding. 's Avonds altijd vol. *Zo geslo-*

PAPILLES [125 D3]

Bistro met wijnkelder, delicatessenwinkel en zeer authentieke keuken in de buurt van de Jardin du Luxembourg. *Zo/ma gesloten | Rue Gay Lussac 30 | 5de arr. | tel. 01–43282079 | RER B: Luxembourg | www.lespapillesparis.fr*

PAUSE CAFÉ ▶▶ [120 C6]
's Middags is dit inderdaad meer een café, met zonnig terras, maar verder is het een gezellig, trendy eethuis met Italiaans getinte keuken, direct achter de Bastille. Een blijvend succes dat in de loop der jaren niets van zijn populariteit heeft verloren. *Dag. (zo slechts tot 20.00 uur) | Rue de Charonne 41 | 11de arr. | tel. 01–40218906 | M 1, 5, 8: Bastille*

LA POMPONETTE [112 C4]
In dit kleine restaurant aan de voet van Montmartre lijkt de tijd te hebben stilgestaan. Hier krijgt u royale

> SPECIALITEITEN

Geniet van deze lekkere hapjes

bœuf bourguignon – runderstoofvlees in rodewijnsaus
bouillabaisse – vissoep met vis uit de Middellandse Zee
brochettes de coquilles Saint-Jacques – spiezen met jakobsschelpen
caneton à l'orange – jonge eend in sinaasappelsaus
coq au vin – haantje in rodewijnsaus
côtes de porc aux herbes – varkenskoteletten in kruidensaus

crème brûlée – warm dessert van eidooier, suiker, room, melk en vanille
crêpes Suzette – eierpannenkoekjes met Grand Marnier
écrevisses à la nage – gekookte rivierkreeftjes in kruidenbouillon
escargots à la bourguignonne – gekookte wijngaardslakken, in de schelp geserveerd
fruits de mer – zeebanket, zoals *crevettes* (garnalen; foto), *huîtres* (oesters) en *coquilles/moules* (mosselen) – vaak rauw geserveerd
gigot d'agneau aux morilles – lamsbout met morieljes
gratin dauphinois – met kaas gegratineerde roomaardappels
homard à l'armoricaine – kreeft in een saus van tomaten, knoflook, kruiden, witte wijn en cognac
moules marinières – in witte wijn met knoflook gestoofde mosselen
noisettes d'agneau – lamskoteletjes, in boter gebraden
pot-au-feu – eenpansgerecht van rundvlees en kip met allerlei groenten
profiteroles – soesjes met vanilleijs en chocoladesaus
quenelles de brochet – balletjes van snoek, slagroom en eieren
ratatouille – koud of warm geserveerde, lang gekookte groenten met olijfolie, knoflook en kruiden
soupe à l'oignon gratinée – uiensoep, met kaas gegratineerd
tarte Tatin – omgekeerde, gekaramelliseerde appeltaart

porties geserveerd van stevige traditionele Franse kost. *Zo/ma lunch gesloten. | Rue Lepic 42 | 8de arr. | tel. 01–46060836 | M 2: Place Blanche | www.pomponette-montmartre.com*

Grote keus, eenvoudige houten tafels, desgewenst kleine gerechten. *Dag. | Rue du Bourg-Tibourg 12 | 4de arr. | tel. 01–42771516 | M 1, 11: Hôtel de Ville | www.lecoudefou.com*

Sommige mensen brengen in het Pause Café echt hun pauze door, andere komen eten

RESTAURANT DU ROND-POINT [117 E3]
Lekker en tegelijk voordelig eten in het Théâtre du Rond-Point, vlak bij de Champs-Élysées. *Za middag/zo/ma avond gesloten | Av. F.D. Roosevelt 2bis | 8ste arr. | tel. 01–44959844 | M 1, 9: Franklin D. Roosevelt | www.restaurantdurondpoint.com*

WIJNBARS

De wijnkaart is hier natuurlijk zeer omvangrijk. Voor erbij kunt u hapjes als worst- en kaasplankjes bestellen.

LE COUDE FOU [119 F5]
Een typische wijnbar, zoals ze nog maar weinig in Parijs te vinden zijn.

JUVENILES [118 C4]
Zeer populair, vooral bij jonge mensen en niet in de laatste plaats vanwege de lekkere kleine hapjes en tapas. *Zo/ma alleen diner | Rue de Richelieu 47 | 1ste arr. | tel. 01–42974649 | M 1, 7: Palais Royal-Musée du Louvre*

LE RUBIS [118 B3] Insider Tip
Eenvoudige wijnbar, sinds de opening in 1948 nauwelijks veranderd. Grote keuze aan wijnen, kaasplankjes en een traditionele dagschotel. *Za alleen lunch, zo gesloten | Rue du Marché Saint-Honoré 10 | 1ste arr. | tel. 01–42610334 | M 8, 14: Pyramides*

> TRÈS CHIC, TRÈS RICHE: ELEGANTIE EN LUXE

Mode, accessoires en delicatessen verleiden u met hun fraaie verpakking

> Winkelen in de Franse consumptiemetropool: aan uw geestesoog trekt direct een reeks luxeartikelen voorbij van mode, parfums, delicatessen, champagne en dergelijke. In Parijs wordt dat alles fraai verpakt en op indrukwekkende wijze gepresenteerd.

Meestal moet u er dan ook dieper voor in de portemonnee tasten dan thuis. Maar vaak heeft Parijs ook het allerbeste te bieden, en als u weet waar u moet zijn, kunt u daar ook nog wel eens koopjes vinden. Afgezien daarvan heeft alleen al het slenteren door consumptiepaleizen, winkelstraten en passages, het *lèche vitrines* ('etalages likken') zoals de Fransen het zo beeldend zeggen, een hoge amusementswaarde – en die krijgt u geheel voor niets. Of het nu gaat om de fraaie etalages van de haute-couturewinkels in de Rue du Faubourg Saint-Honoré of om een levensmiddelenmarkt met zijn over-

Foto: Rue Rambuteau

WIN-KELEN

vloedige, kleurrijke uitstalling: winkelen is in Parijs altijd een belevenis van de bovenste plank.

De meeste winkels zijn van maandag tot en met vrijdag tussen 10.00 en 19.00 of 19.30 uur geopend. De grote warenhuizen hebben op donderdag hun *nocturne,* hun koopavond, waarop ze pas om 21.00 of 22.00 uur hun deuren sluiten. Wanneer u op zondag iets nodig hebt, is dat evenmin een probleem: de winkels in de Marais, in het souterrain van het Louvre en veel winkels aan de Champs-Élysées zijn dan open. De vele kleine levensmiddelenwinkels *(épiceries)* lijken nooit dicht te zijn: in Frankrijk bestaat geen winkelsluitingswet. Het kan echter wel gebeuren dat veel kleine winkels op maandag, op woensdag of tussen de middag gesloten zijn. De laatste drie of vier zondagen voor Kerstmis zijn de warenhuizen en veel andere winkels geopend.

ANTIEK & CURIOSA

DROUOT [118 C1]

Als een van de oudste veilinghuizen ter wereld is Drouot een instituut. In 21 zalen worden meubels en kunstvoorwerpen geveild. Bij een bezoekje waant u zich in een museum. *Rue Drouot 9 | 9de arr. | M 8, 9: Richelieu-Drouot | www.drouot.com*

Speelgoed is te koop bij 'Pain d'Epices' in de Galerie Jouffroy

Insider Tip **VILLAGE SAINT-PAUL** [120 A6]

Op een aantal met elkaar in verbinding staande, idyllische binnenplaatsen, vlak bij de Place des Vosges, bieden zo'n 90 verschillende winkels onder andere meubels, schilderijen, sieraden en porselein aan. *Do–ma | tussen Rue Saint-Paul en Rue Charlemagne | 4de arr. | M 1: Saint-Paul*

BOEKEN & MUZIEK

LES BOUQUINISTES [118–119 B–E 4–6]

De groene houten kasten aan weerszijden van de Seine bepalen al 300 jaar het stadsbeeld. Het kan erg leuk zijn om tussen de oude boeken, tijdschriften en ansichtkaarten te snuffelen. *Tussen Tuilerieën en het Île Saint-Louis | 1ste arr./5de arr. | M 7: Pont Neuf*

FNAC [117 D2]

Grootste boekwinkel in Parijs. Bovendien een grote cd- en dvd-afdeling. Bij regenachtig weer kunt u hier prima uw tijd doorbrengen. *Dag. tot 24.00 uur | Av. des Champs-Élysées 74 | 8ste arr. | M 1, 9: Franklin D. Roosevelt | www.fnac.com*

SHAKESPEARE AND CO [119 D6]

Engelse boekwinkel met een cultureel programma, in het Quartier Latin. *Rue de la Bûcherie 37 | 5de arr. | M 4: St-Michel/Notre-Dame: Châtelet-Les Halles | www.shakespeareco.org*

VIRGIN MEGASTORE [117 D2]

Reusachtige cd-winkel waar u uren kunt doorbrengen. *Dag. tot 24.00 uur | Av. des Champs-Élysées 52 | 8ste arr. | M 1, 9: Franklin D. Roosevelt | www.virginmegastore.fr*

DELICATESSEN

AMORINO [125 F1]

In 2002 openden twee Italianen hun eerste ijsboetiek op het Île Saint-Louis. Inmiddels hebben ze 24 filialen over de hele wereld. *Dag. 12.00–24.00 uur (alleen in het voorjaar en de zomer) | Rue Saint-Louis-en-Île 47 | 4de arr. | M 7: Pont Marie*

WINKELEN

Loop eens binnen bij Izraël!

BARTHÉLEMY ★ [118 A6]

Een van de beste kaaswinkels *(crèmeries)* van Parijs. Levert ook aan het Élysée. *Rue de Grenelle 51 | 7de arr. | M 12: Rue du Bac*

DEBAUVE & GALLAIS ★ [118 B5]

Deze 200 jaar oude, elegante chocolaterie lijkt meer op een juwelier. Het verschil is dat hier de dure koopwaar op de tong smelt. *Rue des Saint-Pères 30 | 7de arr. | M 4: Saint-Germain-des-Prés | www.debauve-et-gallais.com*

FAUCHON [118 A2]

In de zevende hemel van de fijnproevers, waar geen enkele wens onvervuld hoeft te blijven, kan ook de gewone consument zichzelf verwennen en wat lekkere hapjes kopen. Let vooral op de sortering exotische vruchten, truffels en kaviaar. *Pl. de la Madeleine 26 | 8ste arr. | M 8, 12, 14: Madeleine | www.fauchon.fr*

HÉDIARD [118 A2]

Deze traditierijke delicatessenwinkel (uit 1854) biedt naast vele andere lekkernijen in exquise doosjes verpakte getruffeerde ganzenlever en kreeftpaté, die zeer geschikt zijn om als souvenir mee naar huis te nemen. *Pl. de la Madeleine 21 | 8ste arr. | M 8, 12, 14: Madeleine | www.hediard.fr*

IZRAËL [119 F5] Insider Tip

Specialiteiten uit de hele wereld, vooral uit Arabische, Afrikaanse en Aziatische landen, liggen hier kriskras door elkaar tot aan het plafond opgestapeld: samen met de aan haken hangende worsten en de exotische kruiden bieden ze een unieke geurervaring. *Rue François Miron 30 | 4de arr. | M 1: Saint-Paul*

MARCO POLO HIGHLIGHTS

★ **Barthélemy**
Een paleis voor kaasliefhebbers – maar wel piepklein (bladzijde 71)

★ **Debauve & Gallais**
Een chocolaterie als een juwelier (bladzijde 71)

★ **Clignancourt**
De grootste vlooienmarkt (bladzijde 72)

★ **Le Bon Marché**
Het elegantste warenhuis van de stad (bladzijde 73)

★ **Place des Victoires**
Jonge modeontwerpers en veel boetieks (bladzijde 74)

★ **Rue du Faubourg Saint-Honoré**
Dé haute-couturestraat (bladzijde 74)

LAVINIA [118 B2]
Grootste wijnwinkel van Europa. 7500 wijnen uit 43 landen op drie verdiepingen tegen prijzen van 3 tot 6500 euro. De wijn kunt u proeven (zonder meerprijs) in de bijbehorende bar, met een hapje erbij. *Ma–za | Bd. de la Madeleine 3–5 | 1ste arr. | M 8, 12, 14: Madeleine* | *www.lavinia.fr*

DESIGN & LIFESTYLE

THE CONRAN SHOP [124 B1/118 C2]
Wie deze enorme winkel betreedt, vindt er alle mogelijkheden om zijn huis hedendaags in te richten. *Rue du Bac 117 | 7de arr. | M 10, 12: Sèvres-Babylone | Bd. des Capucines 30 | 9de arr. | M 3, 7, 8: Opéra, RER A: Auber* | *www.conran.com*

DEHILLERIN [119 D4]
In deze traditionele winkel uit 1820 is op twee verdiepingen alles te vinden wat met de keuken en met koken te maken heeft. Bij koks is Dehillerin een begrip; Franse topkoks lopen er in en uit. *Rue Coquillière 18 | 1ste arr. | Métro/RER: Châtelet-Les Halles* | *www.e-dehillerin.fr*

NATURE ET DÉCOUVERTES [119 E4]
Wellness op zijn Frans: van ontspannings-cd's, weldadige geuren en allerlei soorten thee tot tuinartikelen en bijzonder speelgoed. Een oase van rust in het drukke warenhuis Forum des Halles. *Rue de l'Arc en Ciel 10 bis | 1ste arr. | M 4: Les Halles* | *www.natureetdecouvertes.com*

VLOOIENMARKTEN

ALIGRE [126 C1]
De oudste en relatief goedkoopste vlooienmarkt. Ook levensmiddelen. *Di–zo 's ochtends | Pl. d'Aligre | 12de arr. | M 8: Ledru-Rollin*

CLIGNANCOURT ★ [112-113 C-E1]
Met meer dan 3000 kooplieden de grootste vlooienmarkt ter wereld. Hier vindt u zo goed als alles. De

Galeries Lafayette, een echte consumententempel

Marché aux Puces de Saint-Ouen bestaat uit verschillende deelmarkten. Om ze allemaal te bezoeken, moet u een afstand van 15 km afleggen. Voor een hartversterking tussendoor gaat u naar de onvervalste kroeg *Chez Louisette* (deelmarkt Marché Vernaison) met livemuziek. *Za–ma 9.00–18.00 uur | Marché Vernaison | Av. Michelet 130 | 18de arr. en Saint-Ouen | M 4: Porte de Clignancourt | www.les-puces.com, www.vernaison.net*

WARENHUIZEN

LE BON MARCHÉ ★ [124 A1]
Het oudste warenhuis van de stad staat al meer dan 150 jaar symbool voor luxe en levensgenot. Het is nog altijd een hele ervaring om bij rustige, klassieke muziek zonder de gebruikelijke drukte van toeristen door dit belle-époquejuweel te slenteren. Een van de beste schoenen- en modeafdelingen van de stad, met alle grote merken. De delicatessenafdeling is een belevenis! *Rue de Sèvres 24 | 7de arr. | M 10, 12: Sèvres Babylone | www.lebonmarche.fr, www.lagrandeepicerie.fr*

GALERIES LAFAYETTE [118 B1]
Wie onder de enorme glazen koepel van dit consumentenpaleis uit 1908 staat, raakt al snel in vervoering. Kleding is hier niet op type, zoals broek, bloes en dergelijke, gerangschikt, maar op merknaam. De onlangs geopende schoenenafdeling is met 3000 m² de grootste ter wereld. Wie even wil bijkomen van het winkelen kan terecht in verschillende restaurants, die elke smaak bedienen *Bd. Haussmann 40 | 9de arr. | M 3, 7, 8: Opéra, RER A: Auber | www.galerieslafayette.com*

PRINTEMPS [118 C1]
Na een bezoek aan de reusachtige cosmetica-afdeling op de begane grond en de wellnessafdeling op de eerste verdieping gaat u naar boven. Hier loopt u langs alle denkbare luxemodemerken maar ook betaalbare kleding naar het café-restaurant onder de beroemde glazen art-nouveaukoepel. *Bd. Haussmann 64 | 9de arr. | M 3, 9: Havre-Caumartin, RER A: Auber | www.printemps.com*

GALERIES

De grootste concentratie van galeries met hedendaagse kunst vindt u in de buurt van de beroemde kunstacademie Beaux Arts in de *Rue de Seine* en zijn zijstraten, zoals de *Rue des*

> LOW BUDGET

> Secondhand: goed onderhouden merkkleding – onder andere van Kenzo, Chanel, Agnès B. – vindt u bij *Cherchеminippes* [124 A2]. *Rue Cherche Midi 102, 109, 110, 111 | 6de arr. | M 10: Vaneau | www.chercheminippes.com*

> In de door Abbé Pierre gestichte sociale instelling *Emmaüs* [124 A2] vindt u koopjes tussen de gebruikte spullen – kleding, boeken, servies, meubels. *Ma 14.30–19.00, di–za 11.00–14.00 en 14.30–19.00 uur | Rue de Charonne 54 | 11de arr. | M 8: Ledru-Rollin | www.emmaus-france.org*

> Tijdens de uitverkoop *(soldes)*, zes weken vanaf half januari en eind juni, gaan zelfs grote merken voor spotprijzen, met soms wel 70 procent korting, de deur uit.

Beaux Arts en de *Rue Mazarine* [118 C6]. Een vergelijkbare opeenhoping is verder alleen te vinden in de *Rue Vieille du Temple* [120 A4–5], vooral rond het Musée Picasso, en in de *Rue Quincampoix* [119 E4] bij het Centre Georges Pompidou. Minder aan de weg timmerend en dan ook veel goedkoper en misschien zelfs levendiger is een ▶▶ galerie in de *Rue de la Mare (nr. 32)* in het 20ste arrondissement, waar werken van kunstenaars uit Belleville worden tentoongesteld [121 E2].

Op de markt in Belleville

MARKTEN

BARBÈS [113 E4]
Kleurrijke Arabisch-Afrikaanse bazaar, waar het mede door de lage prijzen altijd druk is. *Wo en za 's ochtends | Bd. de la Chapelle, tegenover Hôpital Lanboisière | 18de arr. | M 2, 4: Barbès-Rochechouart*

BELLEVILLE [120 C2]
In het multiculturele oosten van de stad ligt de grootste, goedkoopste en meest exotische markt van heel Parijs. *Di en vr 's ochtends | 20ste arr. | M 2, 11: Belleville, M 2: Menilmontant*

MODE

In de *Avenue Montaigne* [117 D3] en de ★*Rue du Faubourg Saint-Honoré* [118 B3] zijn alle modehuizen van naam – onder andere Armani, Chanel, Dior, Gucci, Hermès, Lacroix, Max Mara, Versace – vertegenwoordigd. Jongere, brutalere mode vindt u rond de ★*Place des Victoires* [119 D3] en met Kenzo, Gaultier en andere in de boetieks aan de *Rue Étienne Marcel.* Ook in de Marais, in en rond de *Rue des Francs Bourgeois,* zijn leuke modewinkels gevestigd, zoals Abu d'abi, Azzedine Alaia, Issey Miyake, Lolita Lempicka en Paule Ka.
Onder *prêt-à-porter* verstaat men collecties draagbare confectiekleding, die voor een deel op de haute couture is geïnspireerd. De *dégriffé*-aanbiedingen zijn interessant voor koopjesjagers: daarbij gaat het om afgeprijsde merkkleding van het voorgaande seizoen, waaruit doorgaans de merklabels verwijderd zijn. Een reeks winkels met dergelijke aanbiedingen, die voor een deel ook magazijnrestanten *(stock)* verkopen, is gevestigd in de *Rue d'Alésia* [124 A6]: Sonja Rykiel (nr. 110), Cacharel (114), Crémieux (116), Diapositive (72), Majestic by Chevignon (122) en Daniel Hechter (92). De kleding kost

In Parijs is Miyake een van de vele

hier tot 40 procent minder dan de gangbare prijs, tijdens de uitverkoop zelfs nog minder. *M 4: Alésia*

COLETTE [118 B3]
Mode, design en alles wat trendy is. *Rue Saint-Honoré 213 | 1ste arr. | M 1: Tuileries* | www.colette.fr

DÉPÔT – VENTE DE PASSY [116 A5]
Magazijnverkoop van topmerken. U vindt er fraaie koopjes. *Rue de la Tour 14 | 16de arr. | M 6: Trocadéro* | www.depot-vente-paris.fr

L'ÉCLAIREUR [119 F5]
Interessant concept: een mengeling van designobjecten en grote namen als Issey Miyake, Prada, Helmut Lange, Comme des Garçons. *Rue des Rosiers 3 ter | 4de arr. | M 1: Saint-Paul* | www.leclaireur.com

SÉPHORA [116 C2]
Enorme cosmetica- en parfumzaak van de gelijknamige keten. Bezoekers worden hier nonstop 'gratis' opgemaakt bij discoritmes. Mooi en veelzijdig: het huismerk Bath & Body. *Ma–do 10.00–24.00, vr/za 10.00–1.00 uur | Av. des Champs-Élysées 70–72 | 8ste arr. | M 1, 2, 6/RER A: Charles de Gaulle-Étoile* | www.sephora.com

TABIO [119 E5] Insider Tip
Voor de dernier cri uit Parijs gaat u naar Tabio. De eigenzinnig ontworpen sokken en kousen van het trendy Japanse merk vormen een prima souvenir. De winkel was vroeger een paardenslagerij. *Ma–za 11.00–20.00, zo 12.00–19.00 uur | Rue Vieille du temple 15 | 4de arr. | M 1, 11: Hôtel de Ville* | www.tabio.com

UNIQLO [118 B2]
De grootste modezaak van Japan opende in 2009 zijn Franse vlaggenschip nabij de Opéra Garnier. Jonge, trendy mode voor lage prijzen. *Rue Scribe 17 | 9de arr. | M 3, 7, 8: Opéra, RER A: Auber* | www.uniqlo.com

VIADUC DES ARTS [126–127 C–D 2–3]
Wie als kunstenaar of ambachtsman onder een van de 60 betegelde bogen van het viaduct wil exposeren, moet er een atelier inrichten. Voor de inwendige mens wordt tussen de 130 winkels zorg gedragen door enkele al even geïnspireerde café-restaurants. *Av. Daumesnil 1–129 | 12de arr. | M 1, 5, 8: Bastille* | www.viaduc-des-arts.com

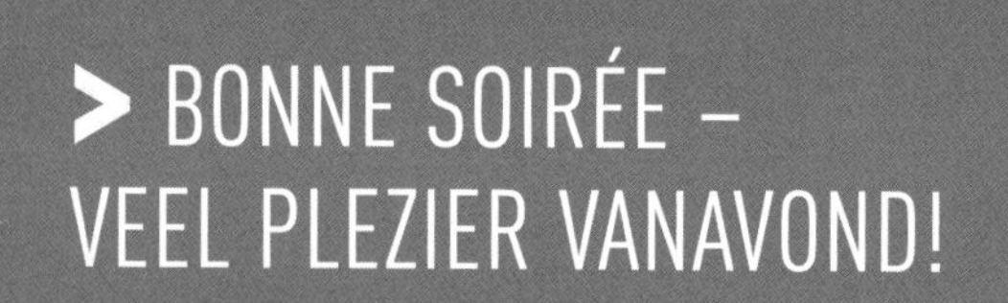

> BONNE SOIRÉE – VEEL PLEZIER VANAVOND!

In de niet echt goedkope Parijse nachtclubs en disco's is de juiste outfit doorslaggevend

> Het Parijse nachtleven is legendarisch en elke avond proberen naast Parijzenaars en voorstadbewoners duizenden toeristen iets van de bijzondere sfeer van de kleine uurtjes mee te beleven.

Populair zijn vooral het lagere deel van Montmartre, de Marais, de buurt rond de Bastille en de omgeving van de Rue Oberkampf, evenals delen van Belleville. De linker Seineoever, *rive gauche,* met name Saint-Germain-des-Prés, is het domein van de toeristen, maar ook daar zijn weer nieuwe hoekjes te vinden die als *branché,* dat wil zeggen 'in', te boek staan. Zo'n buurt is ook de Butte-aux-Cailles, vlak bij de Place d'Italie, met zijn vele cafés en nog betrekkelijk lage prijzen.

Feestbeesten moeten beseffen dat het openbaar vervoer maar tot ongeveer 1.15 (za 2.15) uur rijdt en van tevoren nadenken over de terugreis. U hebt de keuze uit nachtbussen, de 's nachts

Foto: Bar La Fourmi

UIT-GAAN

schaarse taxi's of 's ochtends vroeg de eerste metro. Uitgaan in Parijs vergt enige voorbereiding. Dat geldt vooral voor een bezoek aan een nachtclub of discotheek. Wie niet elegant gekleed is en niet een originele indruk maakt, heeft doorgaans weinig kans om langs de strenge portiers te komen. Dansfeesten in oude fabriekshallen zult u hier vergeefs zoeken – bijna alles wat goed is, is ook exclusief. Uw budget moet toereikend zijn: het uitgaansleven in Parijs is duur. De toegang tot clubs en disco's kost – afhankelijk van locatie, dag van de week en evenement – tussen de 7 en 20 euro. Overigens zijn veel gelegenheden in augustus dicht.

BARS

L'APPAREMMENT CAFÉ [120 A4]
Zachte banken en stoelen in jaren-1930-stijl tegen gelambriseerde wanden, een bibliotheek en gezelschaps-

spelletjes, cocktails en lekker eten. *Dag. | Rue Coutures Saint-Gervais 18 | 3de arr. | tel. 01–48871222 | M 8: Saint-Sébastien-Froissart*

BARRIO LATINO ★ [126 C1]

Dit door Gustave Eiffel ontworpen gebouw is een van de populairste uitgaansgelegenheden van Parijs. Drie verdiepingen met ijzeren balkons rond een centraal atrium met fraaie tapkasten. Banken, latin muziek, drankjes, tapas en salsa. *Dag. | Rue du Faubourg Saint-Antoine 46–48 | 12de arr. | tel. 01–55788475 | M 8: Ledru-Rollin, M 1, 5, 8: Bastille*

BUDDHA BAR [118 A3]

Bar, restaurant en meer. Een echte klassieker. Sfeervolle etnische muziek; Aziatische keuken. *Dag. | Rue Boissy d'Anglas 8 bis | 8ste arr. | tel. 01–53059000 | M 1, 8, 12: Concorde | www.buddhabar.com*

LE CAFÉ ▶▶ [119 D3]

Zeer trendy café met grote spiegels aan de muren. Het gemengde publiek zorgt voor een aangename relaxte sfeer. *Dag. tot 2.00 uur | Rue Tiquetonne 62 | 1ste arr. | tel. 01–40390800 | M 4/RER A: Les Halles-Châtelet-Les Halles*

Café Charbon was ooit een kolenhandel

CAFÉ BEAUBOURG [119 E5]

Stijlvolle bar, pal tegenover het Centre Pompidou. Behalve veel toeristen komen hier trendy jonge Parijzenaars. Mooi terras, smakelijke brunch. *Zo–wo 8.00–1.00, do–za 8.00–2.00 uur | Rue Saint-Merri 43 | 4de arr. | tel. 01–48876396 | M/RER: Châtelet-Les Halles*

CAFÉ CHARBON [120 C3]
Deze voormalige kolenhandel, ingericht in de stijl van de vroege 19de eeuw, is een bekend trefpunt. Altijd vol, trage bediening, maar goede sfeer. Klein terras *Dag. (do–za tot 4.00 uur) | Rue Oberkampf 109 | 11de arr. | tel. 01–43575513 | M 3: Parmentier*

CHEZ JEANNETTE [119 E2]
Sympathieke, zeer populaire bistro met funkmuziek en een aangenaam ontspannen sfeer. *Dag. | Rue du Faubourg-Saint-Denis 47 | 10de arr. | tel. 01–47703089 | M 3, 4, 9: Strasbourg-Saint-Denis*

CLOSERIE DES LILAS [124 C4]
Dit voormalige kunstenaarscafé op Montparnasse staat bekend om zijn champagnecocktails bij zachte pianomuziek. *Dag. 12.00–1.00 uur | Bd. de Montparnasse 171 | 6de arr. | tel. 01–40513450 | M 4: Vavain, RER B: Port Royal | www.closeriedeslilas.fr*

FAVELA CHIC [120 B3] Insider Tip
Trefpunt voor de scene: Braziliaanse keuken, goede *caipirinhas,* Latijns-Amerikaanse ritmes. Superstemming, altijd vol. *Di–za (vr, za tot 4.00 uur) | Rue du Faubourg du Temple 18 | 11de arr. | tel. 01–40213814 | M 3, 5, 8, 9, 11: République | www.favelachic.com/paris*

LE FUMOIR ★ [119 D4]
Elegante, zeer relaxte bar in neokoloniale stijl: oude jazz, mahoniehout, bibliotheek en goede drankjes in de buurt van het Louvre. *Dag. | Rue de l'Amiral de Coligny 6 | 1ste arr. | tel. 01–42920024 | M 1: Louvre-Rivoli | www.lefumoir.com*

BAR VAN HET MURANO RESORT ★ [120 B4]
Deze stijlvolle bar in popartstijl in warme kleuren is momenteel helemaal in voor een aperitief. Beelden en kroonluchters uit Murano. *Dag. 7–2 uur | Bd. du Temple 13 | 3de arr.*

MARCO POLO HIGHLIGHTS

★ Barrio Latino
Op drie etages drinken, flirten, dansen (bladzijde 78)

★ Le Fumoir
Klassieke bar: elegant, relaxed, jazzy (bladzijde 79)

★ Bar van het Murano Resort
Momenteel een van de meest trendy trefpunten in Parijs (bladzijde 79)

★ Le Baron
In deze combinatie van bar en disco komen veel vips (bladzijde 80)

★ Le Batofar
Dit schip in de Seine is een van de hipste dansvloeren van de stad (bladzijde 80)

★ La Casbah
Disco waar u zich in het oude Arabië waant (bladzijde 81)

★ Rex-Club
Reusachtige disco en beste technoclub van Parijs (bladzijde 82)

★ New Morning
Parijse jazzclub met de beste muzikanten ter wereld (bladzijde 83)

| tel. 01–42712000 | M 8: Filles du Calvaire | www.muranoresort.com

LA PERLE [120 A5]
Zeer populair en altijd bomvol. Het is hier bijna onmogelijk om een stoel te bemachtigen. Hier komt iedereen die hip is of denkt hip te zijn. *Zo–vr 6.00–2.00, za 8.00–2.00 uur | Rue Vieille-du-Temple 78 | 3de arr. | tel. 01–42726993 | M 8: Chemin-Vert*

Insider Tip **ROSA BONHEUR** [115 E5]
Trendy bar in het Parc des Buttes-Chaumont. Tapas, cocktails en de mooiste zonşondergang in Parijs. *Wo–zo tot 24.00 uur | Av. de la Cascade 2 | 19de arr. | ingang na 20.00 uur: grote poort tegenover Rue Botzaris 74 | tel. 01–42032867 | M 7bis: Botzaris* | wwwrosabonheur.fr

CLUBS & DISCO'S

LES BAINS DOUCHES [119 E4]
Al sinds het eind van de jaren 1970 trefpunt van vips en jetset. Kleine dansvloer. Restaurant op de eerste verdieping met Thaise keuken. Bar tot 6.00 's ochtends. *Ma–za | Rue du Bourg-L'Abbé 7 | 3de arr. | tel. 01–53014060 | M 4: Étienne-Marcel* | www.lesbainsdouches.net

LE BALAJO [120 B6]
Al jaren de salsatempel van Parijs, midden in de uitgaanswijk rond de Bastille. Wie dat wil, kan van tevoren een korte salsacursus volgen (do 20.00–22.00 uur, circa 10 euro). *Di–zo | Rue de Lappe 9 | 11de arr. | tel. 01–47000787 | M 1, 5, 8: Bastille* | www.balajo.fr

LE BARON ★ ▶▶ [116 C2]
Momenteel de hipste club in het Parijse nachtleven, meer bar dan disco. Veel prominenten, meestal tjokvol en strenge portiers. *Dag. 23.00–6.00 uur | Av. Marceau 6 | 8ste arr. | tel. 01–47200401 | M 1, 2, 6/ RER A: Charles de Gaulle-Étoile* | www.clublebaron.com

LE BATOFAR ★ ▶▶ [126 C5]
De boot voor de Bibliothèque Nationale de France is een van de popu-

> TOT IN DE KLEINE UURTJES

Waar u terecht kunt als alles gesloten is

Voor een metropool als Parijs zijn er niet veel gelegenheden waar u in de vroege ochtend nog iets kunt nuttigen. Tot de klassiekers behoren: *Le Grand Café*, een grote, zeer populaire brasserie *(24 uur per dag | Bd. des Capucines 4 | 9de arr. | M 3, 7, 8: Opéra, RER A: Auber* [118 B2]*)*; *Au Pied de Cochon (24 uur per dag | Rue Coquillère 6 | 1ste arr. | M/RER: Châtelet-Les Halles* [119 D4]*)*; *Chez Denise*, met traditionele keuken *(ma–vr 24 uur per dag | Rue des Prouvaires 5 | 1ste arr. | M 1: Louvre-Rivoli* [119 D4]*)*; *La Maison de l'Aubrac (24 uur per dag | Rue Marbeuf 37 | 8ste arr. | M 1, 9: Franklin D. Roosevelt* [117 D2]*)*; *La Mercerie*, in de uitgaanswijk rond de Rue Oberkampf *(24 uur per dag | Rue Oberkampf 98 | 11de arr. | M 3: Parmentier* [120 C3]*)*; *Le Dépanneur (24 uur per dag | Rue Fontaine 27 | 9de arr. | M 2, 12: Pigalle, M 2: Blanche* [112 C5]*)*.

lairste clubs in Parijs. Experimentele muziek, techno: zeer *branché*. Terras. Niet duur. *Di, do–za | Quai Francois-Mauriac 11 | 13de arr. | tel. 01–53601730 | M 6: Quai de la Gare | www.batofar.org*

en-een-nacht geplaatst. Soms buikdansen. Met club (23.00–5.00 uur) en restaurant. *Ma–za | Rue de la Forge-Royale 18–20 | 11de arr. | tel. 01–43710439 | M 8: Faidherbe-Chaligny | www.casbah.fr*

Les Bains Douches: na het dansen kunt u altijd nog een douche nemen...

LE CAB 2 [118 C4]
Weergaloos restaurant, bar en club in een fantastische ambiance: een eenvoudige lounge en een houten hut in de stijl van een hippe New Yorkse bar. Cool en exclusief, daar zorgen de strenge portiers wel voor. De dansvloer is verlicht als een startbaan. *Ma–za | Pl. du Palais Royal 2 | 1ste arr. | tel. 01–58625625 | M 1, 7: Palais Royal-Musée du Louvre | www.cabaret.fr*

LA CASBAH ★ [127 D1]
In deze populaire disco worden de bezoekers in de sfeer van Duizend-

LA DAME DE CANTON [126 C5] Insider Tip
Deze Chinese jonk, die voor de Bibliothèque Nationale voor anker ligt, was lange tijd bekend onder de naam *Guinguette Pirate*. Concerten, veel salsamuziek; ook restaurant. *Di–za | Port de la gare | 13de arr. | tel. 01–53610849 | M 6: Quai de la Gare, M 14: Bibliothèque F. Mitterand | www.damedecanton.com*

LE DIVAN DU MONDE [112 C5]
Dit oude Parijse theater met podium en galerij in de levendige wijk Pigalle staat bekend om zijn interessante

concerten en dj-muziek (waaronder funk en reggae). Met restaurant. *Dag. (vr, za tot 6.00 uur) | Rue des Martyrs 75 | 18de arr. | tel. 01–42520246 | M 1: Pigalle | www.divandumonde.com*

LE QUEEN ▶▶ [117 D2]
Al jaren een topadres in Parijs. Homo's, maar ook hetero's. Elke dag een ander programma. *Dag. | Av. des Champs-Élysées 102 | 8ste arr. | tel. 08–92707330 | M 1: George V | www.queen.fr*

REX-CLUB ★ [119 D2]
Reusachtige disco onder de megabioscoop. Beste technoclub van de stad; ook house, disco en concerten. *Wo–za vanaf 23.00 uur | Bd. Poissonière 5 | 2de arr. | tel. 01–42361096 | M 8, 9: Bonne Nouvelle | www.rexclub.com*

SHOWCASE [117 E4]
In de oude botenhuizen onder de bogen van de goudglanzende Pont Alexandre III gaan in de weekends alle remmen los. Dé nieuwe trendy club van de stad. Af en toe concerten. *Dag. | Port des Champs-Élysées, rive droite | 8ste arr. | tel. 01–45612543 | M 10: Maubert-Mutualité | www.showcase.fr*

SOCIAL CLUB [119 D2]
Podium voor elektro- en technopop in een oude drukkerij met de sfeer van een loft. Prima concerten. *Wo–za vanaf 23.00 uur | Rue Montmartre 142 | 2de arr. | tel. 01–40280555 | M 3: Bourse, M 3, 8: Grands-Boulevards | www.parissocialclub.com*

>LOW BUDGET

- Elke dinsdag vindt van 12.30–13.15 uur een gratis concert plaats, meestal met barokke orgelmuziek, in de barokkerk *Saint-Roch* [118 B3]. *Rue Saint-Roch 24 | 1ste arr. | tel. 01–42441320 | M 1: Tuileries*
- In een huiselijke, ouderwetse sfeer worden in het kleine café-restaurant *Le Limonaire* [119 D2] traditionele chansons en cabaret aangeboden. *Dag. vanaf 20.15 uur restaurant, vanaf 22.00 uur gratis voorstelling | Cité Bergère 18 | 9de arr. | tel. 01–45233333 | M 8, 9: Grands-Boulevards*
- De ▶▶ *Fleche d'Or* [121 F6] is een hippe ontmoetingsplaats in een voormalig station; concerten (van techno tot jazz), kleinkunst, bar, disco. Do–za tot 5.00 uur. *Dag. vanaf 20.45 uur | gratis toegang | Rue de Bagnolet 102 bis | 20ste arr. | tel. 01–43724244 | M 2: Alexandre Dumas | www.flechedor.fr*

JAZZ & LIVEMUZIEK

LE BAISER SALÉ [119 E5]
Jazzkelder met grote bar en jazzvideo's. Ontspannen sfeer. Salsa, blues, fusion en funk. *Dag. | Rue des Lombards 58 | 1ste arr. | tel. 01–42333771 | M/RER: Châtelet-Les Halles | www.lebaisersale.com*

LE BATACLAN [120 B4]
Legendarisch concert- en showpodium met een vaak interessant programma. Ook café. *Bd. Voltaire 50 | 11de arr. | tel. 01–43140030 | M 5, 9: Oberkampf | www.le-bataclan.com*

LA BELLEVILLOISE [121 E3]
Oude hal uit de 19de eeuw met een fantastisch afwisselend aanbod: live-

concerten, kunsttentoonstellingen, allerlei soorten evenementen, café, restaurant. *Wo–vr 18.00–2.00, za/zo 11.00–2.00 uur | Rue Boyer 19 | 20ste arr. | tel. 01–46360707 | M 3: Gambetta | www.labellevilloise.com*

AU DUC DES LOMBARDS [119 E5]
Gezellige club, met muziek van free-jazz tot hardbop. Restaurant (di–za) met kleine gerechten. *Ma–za | Rue des Lombards 42 | 1ste arr. | tel. 01–42332288 | M/RER: Châtelet-Les Halles | www.ducdeslombards.com*

NEW MORNING ★ [119 E1]
De beste en bekendste jazzclub van de stad: hier treden de beroemdste internationale namen uit de jazzwereld op. *Dag. tot in de vroege ochtend | Rue des Petites-Écuries 7–9 | 10de arr. | tel. 01–45235141 | M 4: Château d'Eau | www.newmorning.com*

LE PETIT JOURNAL MONTPARNASSE ▶▶ [123 F4]
Een van de belangrijkste jazzclubs van de stad. *Dag. | Rue du Commandant René Mouchotte 13 | 14de arr. | tel. 01–43215670 | M 4, 6, 12, 13: Montparnasse-Bienvenue | http://petitjournalmontparnasse.com*

CABARET & REVUE

LE CRAZY HORSE [116 C3]
Erotiek met artistieke pretenties. Ballet en striptease met mooie esthetische effecten. *Shows: april–juni zo–vr 20.30, za 19.30, 21.45, 23.50 uur, juli/aug. dag. 20.30 uur, sept.–maart zo–vr 20.15, 15.00, 22.45, za 19.00, 21.30, 23.45 uur | vanaf 50 euro (tot 26 jaar 35 euro) | Av. George V 12 | 8ste arr. | tel. 01–47233232 | M 1: George V, M 9: Alma Marceau | www.lecrazyhorseparis.com*

AU LAPIN AGILE [113 D3]
In dit pittoreske cabaret in Montmartre, dat in 1860 werd opgericht, waren al vele beroemde schrijvers en schilders te gast. Er heerst een goede sfeer – maar u moet wel Frans verstaan om er iets aan te hebben. *Di–zo 21.00–2.00 uur | circa 24 euro (inclusief een drankje) | Rue des Saules 22 | 8de arr. | tel. 01–46068587 | M 12: Lamarck-Coulaincourt | www.au-lapin-agile.com*

Striptease, maar dan anders, in Crazy Horse

LE LIDO DE PARIS [116 C2]
Spectaculaire producties die nogal Amerikaans aandoen. Bij de toegangsprijs is een halve fles cham-

pagne inbegrepen. De kwaliteit van het restaurant is de afgelopen jaren duidelijk verbeterd. *Shows dag. 21.30 en 23.30 uur | vanaf 90 euro, met eten (19.00 uur) vanaf 140 euro | zo en di ook 15.00 uur vanaf 80 euro | Av. des Champs-Élysées 116 | 8ste arr. | tel. 01–40765610 | M 1: George V | www.lido.fr*

LE MOULIN ROUGE [112 B4]
Weelderige revues in het door Henri de Toulouse-Lautrec onsterfelijk gemaakte geboortehuis van de cancan aan de voet van Montmartre. *Shows dag. 21.00 en 23.00 uur | vanaf 80 euro, met eten (19.00 uur) vanaf 150 euro | Bd. de Clichy 82 | 18de arr. | tel. 01–53098282 | M 2: Blanche | www.moulinrouge.com*

BIOSCOPEN

Film is een passie voor de Parijzenaar, die op vrijdag en zaterdag in de rij staat om de nieuwste films te zien. Er zijn meer dan 300 bioscoopzalen. Buitenlandse films zijn in de regel in de oorspronkelijke versie te zien, met Franse ondertiteling: *v.o. (version originale)*. Frans nagesynchroniseerde films dragen de aanduiding *v.f. (version française)*. De hoofdfilm begint tussen 19.30 en 20.30 uur. De toegangsprijzen liggen doorgaans tussen circa 8 en 10 euro, 's maandags vaak met kortingen.

CINÉMATÈQUE FRANÇAISE [127 D4]
Het futuristische gebouw van architect Frank O. Gehry biedt onderdak aan de Cinémateque met haar meer dan 40.000 films en omvangrijke verzameling rond het thema film. Verscheidene bioscoopzalen met interessante, vaak zeldzame filmvertoningen. *Di gesloten | Rue de Bercy 51 | 12de arr. | tel. 01–71193333 | M 6, 14: Bercy | www.cinemateque.fr*

MK2 [126 C5]
Hypermodern, langgerekt en verblindend wit filmpaleis met veertien za-

Film op zijn mooist: in de MK2 vindt u naast veertien zalen ook nog drie restaurants

len in de futuristische omgeving van de 'Très Grande Bibliothèque'. *Av. de France 128/162 | 13de arr. | tel. 01–56614400 | M 14/ RER C: Bibliothèque François Mitterrand | www.mk2.com*

LA PAGODE [117 F6]

Schitterende pagode in de Chinees-Japanse stijl van het einde van de 19de eeuw. Betegelde gevel, Japanse decoraties in de zaal. 's Zomers in de tuin een *salon de thé* onder bamboeplanten en naast bronzen leeuwen. *Rue de Babylone 57 bis | 7de arr. | tel. 01–45554848 | M 13: Saint-Francois Xavier*

CONCERTEN

Talloze podia bieden allerlei soorten muziek: van absolute topartiesten tot goedwillende amateurs vindt iedereen in Parijs een podium. De stad is ook een belangrijk centrum van etnische muziek uit de hele wereld. Vooral 's zomers zijn veel concerten gratis, in het bijzonder in juli en augustus treden veel groepen, van alle muziekrichtingen, in de stadsparken op.

LA CIGALE [112 C5]

Hier trad ooit Herman van Veen op, maar ook Kevin Costner met zijn band Modern West. Show- en muziekzaal. *Bd. Rochechouart 120 | 18de arr. | tel. 01–49258175 | M 2, 12: Pigalle | www.lacigale.fr*

OLYMPIA [118 B2]

Legendarische, wereldberoemde concertzaal: het spectrum loopt uiteen van groten uit de Franse showbusiness tot de Rolling Stones. *Bd. des Capucines 28 | 9de arr. | tel. 08–92683368 | M 3, 7, 8: Opéra, RER A: Auber | www.olympiahall.com*

THÉÂTRE DES CHAMPS-ÉLYSÉES [117 D3]

Klassieke muziek en opera's in een prachtige omgeving. *Av. Montaigne 15 | 8ste arr. | tel. 01–49525050 | M 9: Alma-Marceau | www.theatrechampselysees.fr*

THÉÂTRE DU CHÂTELET [119 D5]

Een van de mooiste zalen van de stad, waar vaak ook klassieke concerten worden geprogrammeerd. *Pl. du Châtelet 1 | 4de arr. | tel. 01–40282840 | M/RER: Châtelet-Les Halles | www.chatelet-theatre.com*

LE ZÉNITH [115 E2]

Enorme concertzaal in het Parc de la Villette: podium voor rock- en popconcerten. *Av. Jean-Jaurès 211 | 19de arr. | tel. 01–42086000 | M 5: Porte de Pantin | www.le-zenith.com*

THEATER

Er zijn in Parijs, vergeleken met Amsterdam en Brussel, niet veel spectaculaire theaterproducties. Wie goed Frans spreekt, vindt echter genoeg te genieten, bijvoorbeeld Peter Brooks' *Les Bouffes du Nord (www.bouffesdunord.com)* of de *Comédie Française (www.comedie-francaise.fr)*.

THÉÂTRE DE LA VILLE [119 D5]

Het belangrijkste podium voor moderne dans. Daarnaast zijn er toneel- en muziekvoorstellingen (veel etnische muziek). *Pl. du Châtelet 2 | 4de arr. | tel. 01–42742277 | M/RER: Châtelet-Les Halles | www.theatredelaville-paris.com*

> BONNE NUIT – SLAAP LEKKER!

Het hotelaanbod is zo veelzijdig dat er voor elke smaak en elk budget wel onderdak te vinden is

> Als een van de belangrijkste toeristische bestemmingen beschikt Parijs over een veelzijdig aanbod aan accommodatie. Naast de wereldwijd bekende hotelpaleizen als het Crillon, Ritz en Plaza Athénée, die overweldigende luxe en de hoogste elegantie bieden, vindt u ook onder de goedkopere en eenvoudiger hotels echte juweeltjes. U moet ze alleen weten te vinden. Vele ervan bieden een authentieke charme en een gezellige sfeer en getuigen van een echte liefde voor het vak. Juist zulke adressen, maar ook de echte luxehotels, kunnen vooral van april tot juli en in september en oktober volgeboekt zijn. Wie een bepaald hotel wenst, zal dit dus zo vroeg mogelijk moeten reserveren. Als er problemen zijn, bieden de kantoren van het *Office du Tourisme* vaak wel uitkomst.

Op de aan de gevel van het hotel aangebrachte bordjes kunt u de categorie

Foto: Kamer in Hôtel Eldorado

ACCOM-MODATIE

van het hotel aflezen (een tot vier sterren). Er bestaan echter ook veel niet-geclassificeerde hotels en het aantal sterren is lang niet altijd een juiste afspiegeling van het geboden comfort.

Bij de meeste hotels moet u uw reservering bevestigen per e-mail, fax of brief. Vaak wordt u gevraagd uw creditcardnummer te vermelden of een aanbetaling te doen. Ook een annulering moet meestal schriftelijk worden gedaan. De tarieven kunnen per seizoen variëren. De in brochures en op de prijslijsten vermelde kamerprijzen zijn in de regel geldig voor een tweepersoonskamer zonder ontbijt. In Parijs wordt een toeristenbelasting geheven, die echter niet erg hoog is. Wie misverstanden wil voorkomen, doet er goed aan de prijslijst te bekijken, die duidelijk zichtbaar bij de ingang van het hotel moet zijn opgehangen.

HOTELS €€€

FOUR SEASONS GEORGE V [116 C2]

Na een volledige renovatie in de stijl van de 18de eeuw straalt dit prestigieuze hotel als nooit tevoren met zijn zeer grote, luxueuze kamers en het met twee sterren bekroonde restaurant *Le Cinq* van Philippe Legendre. *184 kamers, 61 app. | Av. George V 31 | 8ste arr. | tel. 01–49527000 | fax 01–49527010 | M 1: George V | www.fourseasons.com*

Dit gezellige hotel met zijn muzikale naam is très charmant

L'HÔTEL ★ [118 C5]

Extreem gedistingeerd, maar toch heel gezellig hotel, dat na een volledige en uiterst smaakvolle renovatie door de bekende designer Jacques Garcia mooier is dan ooit. De beroemde schrijver Oscar Wilde, die hier in 1900 in kamer nr. 13 overleed, waardeerde het comfort al. Unieke, ronde overdekte binnenplaats. Grote kamers in barok-, empire-, art-deco- en Japanse stijl. In de overwelfde kelder vindt u een zwembad en hamam in de stijl van Romeinse thermen. Fantastisch sterrenrestaurant *(Le Bélier). 16 kamers, 4 app. | Rue des Beaux Arts 13 | 6de arr. | tel. 01–44419900 | fax 01–43256481 | M 4: Saint-Germain-des-Prés | www.l-hotel.com*

MURANO [120 B4]

Hypermodern designhotel, vrijwel volledig in wit gehouden. Twee suites met elk een eigen zwembad, enkele suites met terras. *51 kamers, resp. suites | Bd. du Temple 13 | 3de arr. | tel. 01–42712000 | fax 01–42712101 | M 8: Filles du Calvaire | www.muranoresort.com*

PAVILLON DE LA REINE [120 B5]

Hier, direct aan het vroegere Koningsplein, de Place des Vosges, zult u zich als een koning voelen als u de drukte van de Marais achter u laat en via de arcaden deze oase van rust met een groene binnenplaats betreedt. De nieuw ingerichte spa-afdeling biedt na het winkelen pure ontspanning. *41 kamers, 16 suites | Pl. des Vosges 28 | 3de arr. | tel. 01–40291919 | fax 01–40291920 | M 1, 5, 8: Bastille | www.pavillon-de-la-reine.com*

ACCOMMODATIE

HOTELS €€

HÔTEL DES ARTS [119 D2]

Charmant, smaakvol klein hotel, zeer rustig gelegen, maar toch centraal. Royale kamers. *25 kamers | Cité Bergère 7 | 9de arr. | tel. 01–42467330 | fax 01–48009442 | M 8, 9: Grands Boulevards | www.hoteldesarts.fr*

HÔTEL ARVOR SAINT GEORGES [112 C6]

Zeer verzorgd, fris gerenoveerd hotel in een rustige omgeving. Modern design. Niet ver van het Gare du Nord, Montmartre en de grote warenhuizen. *31 kamers, 5 suites | Rue Laferrière 8 | 9de arr. | tel. 01–48786092 | fax 01–48781652 | M 12: Saint-Georges | www.arvor-hotel-paris.com*

HÔTEL DE L'AVRE [122 C2]

Dit kleine hotel naast de École Militaire bezit veel charme. De pastelkleurige kamers – in de tinten blauw, groen of geel – zijn allemaal met veel liefde ingericht. 's Zomers wordt het ontbijt geserveerd op een schaduwrijke kleine binnenplaats met een mooie tuin. *26 kamers | Rue de l'Avre 21 | 15de arr. | tel. 01–45753103 | fax 01–45756326 | M 6, 8, 10: La Motte-Picquet Grenelle | www.hoteldelavre.com*

HÔTEL CHOPIN [119 D2]

Charmant klein hotel in een fraai 19de-eeuws gebouw aan het eind van de fraaie Passage Jouffroy (nr. 46). Heerlijk rustig. *36 kamers | Bd. Montmartre 10 | 9de arr. | tel. 01–47705810 | fax 01–42470070 | M 8, 9: Grands Boulevards | www.hotelchopin.fr*

HÔTEL DU COLLÈGE DE FRANCE [125 D1]

Dit aangename, goed geleide hotel staat midden in het bedrijvige Quartier Latin, maar desondanks op een verrassend rustige locatie. *Rue Thénard 7 | 5de arr. | tel. 01–43267836 | fax 01–46345829 | M 10/RER B: Saint-Michel | www.hotel-collegedefrance.com*

HÔTEL DES GRANDES ÉCOLES ★ [125 E2]

Insider Tip

Een absoluut hoogtepunt. Wie zou er nu op enkele meters van de drukke Rue Mouffetard en het Panthéon een landhuis met een park verwachten? In een zeer rustige ambiance vindt u 51 met stijlmeubels ingerichte ka-

MARCO POLO HIGHLIGHTS

★ L'Hôtel
Dit unieke kleinood biedt exclusieve kamers en een zwembad in de overwelfde kelder (bladzijde 88)

★ Hôtel de Nesle
Een en al romantiek in deze oase van rust in het drukke Saint-Germain-des-Prés (bladzijde 91)

★ Hôtel des Grandes Écoles
Landhuis met een klein park midden in Parijs (bladzijde 89)

★ Hôtel Langlois
Marmer en art deco (bladzijde 90)

★ Nouvel Hôtel
Tuin in Provençaalse stijl (bladzijde 92)

mers, verdeeld over drie kleine gebouwen. De meeste kijken uit op het park, waar ook het ontbijt wordt geserveerd. *Rue du Cardinal Lemoine 75 | 5de arr. | tel. 01–43267923 | fax 01–43252815 | M 10: Cardinal Lemoine | www.hotel-grandes-ecoles.com*

HÔTEL LANGLOIS [112 C6]

Echt een juweeltje. De elegante, met marmer en hout gedecoreerde entree belooft al heel wat: alle 24 kamers en de drie suites zijn met originele art-

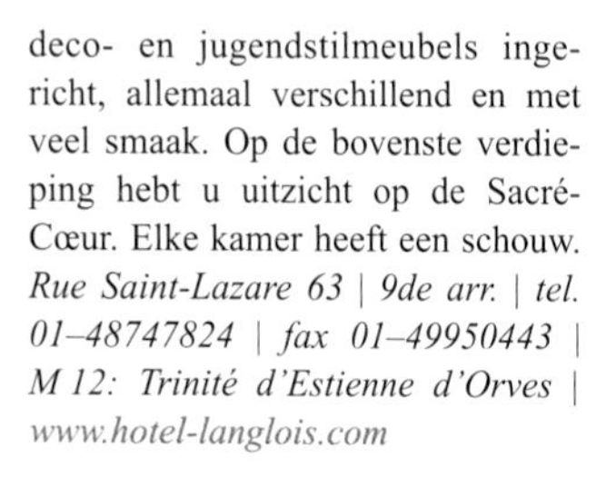

deco- en jugendstilmeubels ingericht, allemaal verschillend en met veel smaak. Op de bovenste verdieping hebt u uitzicht op de Sacré-Cœur. Elke kamer heeft een schouw. *Rue Saint-Lazare 63 | 9de arr. | tel. 01–48747824 | fax 01–49950443 | M 12: Trinité d'Estienne d'Orves | www.hotel-langlois.com*

HÔTEL SAINT-CHARLES [125 E6]

Onlangs nog gerenoveerd zeer fraai designhotel in het hart van de levendige uitgaanswijk Butte-aux-Cailles.

> LUXEHOTELS

Logeren als een vorst

FOUQUET'S BARRIÈRE [118 A3]

Bij de bouw van dit luxehotel in 1928 werden kosten noch moeite gespaard. Zwart marmer uit China, wit marmer uit Carrara, de fijnste stoffen, suites die wel 535 m² groot zijn en een enorme wellnessafdeling. Direct aan de Champs-Élysées. Vanaf circa 710 euro. *107 kamers en suites | Av. George V 47 | 8ste arr. | tel. 01–40696000 | M 1: George V | www.fouquets-barriere.com*

MEURICE [118 B3]

Na de geslaagde renovatie heeft dit schitterende hotel met zijn lange traditie en mooie wintertuin een nieuwe glans gekregen. Vanaf circa 625 euro. *135 kamers, 25 app. | Rue de Rivoli 228 | 1ste arr. | tel. 01–44581010 | fax 01–44581015 | M 1: Tuileries | www.meuricehotel.com*

PLAZA ATHÉNÉE [117 D3]

Het prototype van een Parijs hotelpaleis in de straat van de grote modeontwerpers. Sprookjesachtige binnenplaats (restaurant), mooi gerenoveerde kamers in classicistische of art-decostijl in warme kleuren. In dit hotel logeren de sterren. U vindt hier ook het driesterrenrestaurant van Alain Ducasse en een zeer trendy bar. Vanaf circa 740 euro. *143 kamers, 45 app. | Av. Montaigne 25 | 8ste arr. | tel. 01–53676665 | fax 01–53676666 | M 1, 9: Franklin D. Roosevelt, M 9: Alma-Marceau | www.plaza-athenee-paris.com*

RITZ [118 B3]

Ernest Hemingway en Coco Chanel kwamen al graag in dit elegante hotel aan het prachtige plein van de juweliers. Beroemde bar en mooie binnenplaats. Buitengewoon smaakvol ingerichte kamers en een exclusief gezondheids- en massagecentrum met groot zwembad. Vanaf circa 770 euro. *107 kamers, 55 app. | Pl. Vendôme 15 | 1ste arr. | tel. 01–43163030 | fax 01–43163668 | M 1: Tuileries | www.ritzparis.com*

Niettemin prettig rustig, met een serene sfeer. *60 kamers | Rue de l'Espérance 6 | 13de arr. | tel. 01–45895654 | fax 01–45885617 | M 6: Corvisart, M 5, 6, 7: Place d'Italie | www.hotel-saint-charles.com*

HOTELS €

HÔTEL BELLEVUE CHARIOT D'OR [119 E3]

In de lobby en de ontbijtzaal hangt een heerlijke belle-époquesfeer. De kamers zijn daarentegen eenvoudig maar schoon, met een naar Parijse maatstaven zeer goede prijs-kwaliteitverhouding. De uitstekende ligging in de gezellige Marais met zijn vele bars en fraaie boetieks overtuigt eveneens. *59 kamers | Rue Turbigo 39 | 3de arr. | tel. 01–48874560 | fax 01–48879504 | M 4: Réaumur-Sébastopol | www.hotelbellevue75.com*

HÔTEL ELDORADO [112 A4]

Dit is een echt juweel: een kleine Chinese jonk in een mooie tuin midden in Parijs. Individueel ingerichte kamers in Afrikaanse of Aziatische stijl. Rustig, maar toch centraal gelegen aan de voet van Montmartre. Een fraaie wijnbar en een restaurant met terras. De keuken wordt gekenmerkt door een mediterrane invloed. *39 kamers | Rue des Dames 18 | 17de arr. | tel. 01–45223521 | fax 01–43872597 | M 2, 13: Place de Clichy | www.eldoradohotel.fr*

HÔTEL HENRI IV [119 D5]

Zeer voordelig, klein hotel aan een prachtig, met bomen begroeid plein, midden op het Île de la Cité. Eenvoudige, lichte kamers; zeer rustige locatie. *20 kamers | Pl. Dauphine 25 | 1ste arr. | tel. 01–43544453 | M 7: Pont Neuf*

HÔTEL DE NESLE ★ [118 C6]

Al in de entree, met haar plafond vol droogbloemen, betreedt u een andere wereld. De eigenares wijst u geheel naar eigen inzicht een van de romantische kamers toe: zeer originele vertrekken, allemaal verschillend, vele geïnspireerd op toneelstukken van Molière; voor een deel zonder bad/wc. Ook een Marokkaanse (met echte hamam), een Egyptische, een Provençaalse en een Afrikaanse kamer. Tuin met beelden en terras. *20 kamers | Rue de Nesle 7 | 6de arr. | tel. 01–43546241 | fax 01–*

Pracht en praal kenmerkt al sinds 1898 de glamour van het Ritz

Insider Tip

43543188 | M 4, 10: Odéon | www.hoteldenesleparis.com

NOUVEL HÔTEL ★ [127 F2]
Uitermate liefdevol ingerichte, zeer rustige, brandschone kamers in Laura Ashleystijl, alle met gerenoveerde badkamer en tv. Familiaire sfeer. Op de kleine binnenplaats in Provençaalse stijl en in de prachtige, weelderig met wijnranken en bamboe begroeide tuin kunnen de gasten zich bij het ontbijt en daarna heerlijk ontspannen. Kamer 109, die uitkomt op de tuin, is heel populair. Er is ook een kamer met vier bedden. *28 kamers | Av. du Bel-Air 24 | 12de arr. | tel. 01–43430181 | fax 01–43446413 | M 1, 2, 6, 9/RER A: Nation | www.nouvel-hotel-paris.com*

HÔTEL PRATIC [120 A6]
Verzorgd en origineel klein hotel met veel charme en oude meubels, midden in de uitgaanswijk Marais en vlak bij de Place des Vosges. *23 kamers | Rue d'Ormesson 9 | 4de arr. | tel. 01–48878047, fax 01–48874004 | M 1: Saint-Paul | www.hotelpratic.com*

HÔTEL DU PRINTEMPS [127 F2]
Verzorgd, rustig en zeer betaalbaar hotel. Voor gezinnen zijn er vierpersoonskamers. *38 kamers | Bd. de Picpus 80 | 12de arr. | tel. 01–43436231 | fax 01–49289711 | M 6: Picpus | www.hotel-paris-printemps.com*

OOPS! HOSTEL [125 E5]
Trendy designhotel voor jonge mensen met een smalle beurs. Goede uitvalsbasis voor een verkenning van Parijs. Direct voor de ingang is een Vélibfietsverhuurpunt. Vijf minuten van de Rue Mouffetard. *33 twee- en meerpersoonskamers | Av. des Gobelins 50 | 13de arr. | tel. 01–47074700 | fax 01–43311774 | M 7: Les Gobelins | www.oops-paris.com*

> LOW BUDGET

> *MIJE (Maison Internationale de Jeunesse et des Etudiants)* zijn drie uitstekende jongerenhotels, gevestigd in mooie, gerenoveerde stadspaleizen uit de 16de en 17de eeuw, midden in de Marais (4de arr.) [119 F6]. In het bijbehorende restaurant in de Rue de Fourcy kunnen de hotelgasten goedkoop eten. *Rue de Fourcy 6 (M 1: Saint-Paul) | Rue du Fauconnier 11 (M 1: Saint-Paul) | Rue des Barres 12 (M 1, 11: Hôtel de Ville) | tel. 01–42742345 | fax 01–40278164 | www.mije.com*

> Een van de voordeligste hotels in het centrum van Parijs is *Hôtel Tiquetonne* [119 E3]. Rustig gelegen (voetgangersgebied) in de drukke buurt bij de Hallen. Zeer goede prijs-kwaliteitverhouding. *48 kamers | Rue Tiquetonne 6 | 2de arr. | tel. 01–42369458 | fax 01–42360294 | M 4: Etienne Marcel*

HOTELBEMIDDELING

OFFICE DU TOURISME [118 C3]
Het toeristenbureau bemiddelt bij de verhuur van kamers, appartementen en zogenaamde hotelresidenties, voorzien van keuken, die geschikt zijn voor groepen. *Ma–za 10.00–19.00, zo 9.00–19.00 uur | Rue des Pyramides 25 | 1ste arr. | tel. 08–92683000 | M 7, 14: Pyramides, RER A: Auber | www.parisinfo.com*

JEUGDHERBERGEN

FÉDÉRATION UNIE DES AUBERGES DE JEUNESSE (FUAJ) [114 A4]

Centrale reservering voor de vier in Parijs gevestigde *jeugdherbergen* (in het 11de, 17de en 20ste arrondissement). Lidmaatschap is vereist. *Rue Pajol 27 | 18de arr. | tel. 01–44898727 | M 4, 5/RER B, D: Gare du Nord, M 2: La Chapelle, M 12: Marx-Dormoy | www.fuaj.org*

Voor u naar uw hotel gaat, kunt u in een van de vele winkels nog iets lekkers kopen

WONINGEN

LOFT EN DUPLEX [112 B4]

Vier goed ingerichte, grote woningen en een appartement in een rustige zijstraat, aan de voet van Montmartre. Voor een deel met eigen kleine binnenplaats en ingericht met fraaie stijlmeubelen. Elke woning beschikt over ongeveer zes slaapplaatsen en is dus geschikt voor een gezin, een groep of voor twee tot drie stellen. *Cité Véran 7 | 18de arr. | tel. 06–14484748 | M 2: Blanche | www.loftparis.net*

VERBLIJF IN MONTMARTE [125 E5] Insider Tip

Logeren in een voormalig atelier aan de schilderachtige Place du Tertre of in een andere vakantiewoning midden in Montmartre – is er iets romantischers denkbaar voor uw verblijf in Parijs? De woningen, alle van verschillende grootte, zijn smaakvol en comfortabel ingericht en daarbij zijn de prijzen alleszins bescheiden. Ze worden bovendien met veel zorg onderhouden. Het is raadzaam om beslist tijdig te reserveren. *Place du Tertre 13 | 18de arr. | tel. 01–42591999 | M 12: Abbesses | http://parishome.zweipage.de*

> PARIS À PIED – PARIJS TE VOET VERKENNEN

Verover de stad en doe ontdekkingen links en rechts van de Seine

De wandelingen zijn op de achterflap en op de stadsplattegrond groen gemarkeerd

1 HET INTELLECTUELE HART VAN PARIJS

Begin 20ste eeuw ontstond op de linkeroever van de Seine, de *rive gauche*, in ★ Saint-Germain-des-Prés – in de buurt van de Sorbonne – een nieuw intellectueel centrum. In de beroemde cafés De Flore en Les Deux Magots ontmoeten schrijvers en filosofen elkaar. Intellectueel wat minder zwaarwichtig gaat het toe rond de heuvel Sainte-Geneviève.

Foto: Bouquinistes aan de oever van de Seine

Reken voor deze wandeling op drie tot vier uur (zwemspullen meenemen!).

Het terras van Les Deux Magots *(bladzijde 59)* is een soort loge: ontspannen achterovergeleund kijken de gasten naar het flanerende publiek. Ertegenover staat de *kerk* Saint-Germain-des-Prés *(bladzijde 49)*, een van de oudste van Parijs. In de *Rue Bonaparte*, maar ook in de andere straten van de wijk, zijn galeries, antiquairs, stoffenwinkels, cafés en

STADS-WANDELINGEN

restaurants gevestigd. Volg de *Rue de l'Abbaye* achter de kerk tot de romantische, lommerrijke *Place de Furstemberg,* waaraan het atelier van de schilder Eugène Delacroix lag. Dan naar rechts de *Rue Jacob* in, die uitkomt op de levendige *Rue de Seine*. Daar kunt u op het altijd goed bezochte terras van La Palette *(bladzijde 61)* een pauze inlassen. U gaat verder door de *Rue Jaques Callot,* dan rechts de *Rue Mazarine* in (die verderop overgaat in de Rue de l'Ancienne Comédie), over de Boulevard Saint-Germain naar de *Rue de l'Odéon.* U passeert het neoclassicistische Théatre de l'Odéon en bereikt de Jardin du Luxembourg *(bladzijde 46)*, een van de populairste parken van Parijs. Tegenover het op het Palazzo Pitti in Florence geïnspireerde Palais du Luxembourg kunt u uitrusten aan de rand van de vijver of bij de Fontaine de Médicis.

Tegenover de hoofdingang, aan de drukke *Boulevard Saint-Michel* met zijn terrassen, voert de *Rue Soufflot* omhoog naar het koepelvormige Panthéon *(bladzijde 48)*, het eerbetoon aan veel grote Fransen. De nauwe straatjes die naar de Mont Sainte-Geneviève omhoog kronkelen, behoren tot de oudste gedeelten van de stad. De *Rue Malebranche*, de in de gracht van een middeleeuwse stadsmuur aangelegde *Rue des Fossés Saint-Jacques* en de *Place de l'Estrapade* met zijn bomen, bankjes en een waterput, stralen de rust uit van een provinciestad. Met de nabijgelegen universiteit de Sorbonne, het Collège de France en veel andere goed bekendstaande nationale opleidingsinstituten is dit niettemin een belangrijk centrum van geestelijk leven in de stad. Daal nu de *Rue Laromiguière*, de *Rue Amyot* en de *Rue Tournefort* af naar de *Rue Lohmond* en ga daar naar links, de smalle *Passage des Postes* in: hier wordt het al een stuk drukker. In het lager gelegen deel van de altijd gezellige, zeer oude Rue Mouffetard *(bladzijde 49)* vindt u een kleurige markt en veel mooie levensmiddelenwinkels. Verder omhoog wordt de 'Mouff' steeds toeristischer. Helemaal aan het eind is de *Place de la Contrescarpe* met zijn vele cafés een populair ontmoetingspunt. In de mooie *Rue du Cardinal Lemoine* woonde begin jaren twintig van de 20ste eeuw Ernest Hemingway (aan het begin, op nr. 74).

Van de Rue du Cardinal Lemoine splitst zich de *Rue Rollin* met zijn scheve oude huisjes af. Loop via een trap naar beneden, steek de Rue Monge over en u bent bij de Arènes de Lutèce, een Romeins amfitheater, dat pas in de 19de eeuw werd opgegraven en tegenwoordig de jeugd tot speelplaats dient. Ga nu rechtsaf de *Rue Linné* in (die verderop Rue Geoffroy Saint-Hilaire heet), dan hebt u tot slot diverse mogelijkheden: u kunt een bezoek brengen aan het zeer interessante Musée National d'Histoire Naturelle met zijn spectaculaire galerij, de Jardin des Plantes met zijn planten en kassen, of de Mosquée de Paris: daar bieden de hamam, het Arabische stoombad, of de theesalon *Café Maure* een heerlijke ontspanning.

2 IN DE VOETSPOREN VAN DE KUNSTENAARS VAN MONTMARTRE

De met de wit oplichtende basiliek Sacré-Cœur bekroonde heuvel ★ Montmartre trekt vanaf veel plaatsen in de stad de aandacht. Eens woonden en werkten hier veel kunstenaars. Tegenwoordig kunnen onbemiddelde schilders zich de hoge huurprijzen in deze wijk niet meer veroorloven. Toch heeft Montmartre een bijna dorps karakter behouden, wat u kunt zien tijdens deze twee tot drie uur durende rondwandeling.

Rondom metrostation Blanche bloeit de seksindustrie. Het middelpunt is de Moulin Rouge *(bladzijde 84)*, die met zijn dansvoorstellingen geldt als een van de populairste toeristenattracties. De tegen de heuvel opklimmende *Rue Lépic* met zijn traditionele levensmiddelenwinkels heeft daarentegen zijn volkse karakter behouden; in deze straat werd de film *Le fabuleux destin d'Amélie Poulain* opgenomen. In de *Rue des Abbesses* met zijn winkels en cafés is het dag

De rode neonreclames onderstrepen de naam nog eens: Moulin Rouge

en nacht druk; in het trendy café **Sancerre** (nr. 35) is het publiek een mengeling van jonge toeristen en lokale bevolking. Wie het liever wat rustiger heeft, kan uitwijken naar de smalle *Rue Burq*.

Vervolgens gaat u naar links, de *Rue Durantin* in. In de naar boven leidende *Rue Tholozé* kunt u de dorpse atmosfeer nog opsnuiven. Bovenaan staan twee oude molens. In de ene, die in de 19de eeuw tot danszaal werd verbouwd, schilderde onder anderen Auguste Renoir. Links om de hoek, in de schaduwrijke *Rue Junot,* staan veel mooie huisjes; op nr. 15 woonde de schrijver Tristan Tzara. Door de *Rue Dereure* en via een kleine trap bij de *Place Casadesus* gaat u langs tuinen en het Château des Brouillards naar de *Place Dalida,* waar een standbeeld staat van de befaamde Egyptisch-Italiaanse zangeres die in deze buurt heeft gewoond. De *Rue de l'Abreuvoir* met zijn scheve huisjes kronkelt schilderachtig langs de heuvel omhoog. In het midden ligt een kleine wijngaard, waarvan de oogst elk jaar in oktober aanleiding is voor een uitgelaten feest *(bladzijde 21).* In het **Maison Rose** op de hoek (nr. 2) woonde de schilder Maurice Utrillo. Een paar meter lager ligt het beroemde cabaret **Au Lapin Agile** *(bladzijde 83),* dat eigendom was van de chansonnier Aristide Bruant. De eigenaar steunde destijds vele nog arme en onbekende kunstenaars. Een eind verder naar boven – in een huis uit de 17de eeuw – wordt in het *Musée du Montmartre (Rue Cortot 12)* de geschiedenis van de kunstenaars van Montmartre verteld. Insider Tip

Door de *Rue Saint-Vincent* nadert u dan de achterkant van de verblindend witte, in suikertaartstijl gebouwde basiliek **Sacré-Cœur** *(bladzijde 54).* Op de trap aan de voorkant kunt u genieten van het uitzicht over Parijs. In de smalle straatjes met hun souvenirwinkels en vooral op de *Place du Tertre* ziet het altijd zwart

van de toeristen. Veel opdringerige schilders en tekenaars zullen daar een portret van u willen maken.
Van de *Rue Norvin* daalt u vervolgens af naar de *Rue Gabrielle* (op nr. 49 had Pablo Picasso zijn eerste atelier). Door de *Rue Ravignan* bereikt u de met bomen begroeide *Place Émile Goudeau*. In een destijds in verval geraakt atelier in het huis met de naam *Bateau-Lavoir* werkte Picasso aan zijn bekendste kubistische schilderij *Les demoiselles d'Avignon*. Beneden nodigen vele aantrekkelijke gelegenheden uit om een hapje te komen eten. Van de *Rue des Trois Frères* splitst zich de nauwe *Passage des Abbesses* af, die uitkomt op de Place des Abbesses met zijn mooie art-nouveaumetro-ingang en leuke cafés.

3 DE SEINE-EILANDEN EN DE MARAIS

Dat de metropool van Frankrijk geen steriele museumstad is, zal duidelijk worden tijdens deze drie tot vier uur durende wandeling door de levendige straten en stegen van het Quartier Latin en de Marais. Nergens zijn zoveel bars, cafés en restaurants te vinden als in de Marais, die in de jaren zestig van de 20ste eeuw volledig in verval was geraakt en waar in de indrukwekkende stadspaleizen tegenwoordig meestal een museum is gevestigd.

In het parkje in de schaduw van de Romeinse thermen rond het Musée de Cluny *(bladzijde 46)* is het op zonnige dagen goed toeven. Aan de overkant van de drukke Boulevard Saint-Germain begint een middeleeuwse wirwar van straatjes rond de in flamboyant-gotische stijl gebouwde kerk Saint-Séverin. Aardige cafeetjes nodigen uit tot verpozing, maar er zijn ook talloze restaurants die proberen toeristen binnen te lokken. Via de *Rue Saint-Séverin* is het maar een paar passen lopen naar de kleine, compacte Saint-Julien-le-Pauvre, de oudste kerk van de stad, die dateert uit het midden van de 12de eeuw. In het direct aangrenzende park, het Square Viviani, kunt u in alle rust genieten van een zeer fraai uitzicht op de Notre-Dame *(bladzijde 46)*.
In de richting van de Notre-Dame begint de toeristendrukte. Maar toch: de aanblik van de passerende schepen op de Seine, van de zonaanbidders die zich op de kaden hebben uitgestrekt en van de bouquinistes *(bladzijde 70)* met hun oude boeken is een genoegen. Er loopt een fraai pad langs de Notre-Dame door een plantsoen. Aan de andere kant van de kathedraal is nog een klein stukje behouden gebleven van de stratenwirwar die in de 19de eeuw grotendeels aan stadsplanner baron Haussmann ten offer viel. Het Île de la Cité *(bladzijde 44)* is het oudste deel van de stad. Op de brug naar het Île Saint-Louis jammen in het weekend muzikanten en tonen acrobaten hun kunsten. Dit eiland, dat pas in de 17de eeuw werd bebouwd, is nu een van de duurste buurten van de stad. De *Rue Saint-Louis-en-Île* met zijn fraaie winkels nodigt uit tot een wandeling: Amorino *(bladzijde 70)* verkoopt het beste ijs van de stad.
Via de *Pont Marie* komt u direct in de Marais. Meteen rechts, aan het begin van de *Rue des Nonnains d'Hyères*, valt het laatgotische Hôtel de Sens op. Enkele straatjes hebben het karakter

van die tijd behouden, zoals de *Rue François Miron* met twee vakwerkhuizen en het **Hôtel du Beauvais** (nr. 68), waar ooit Wolfgang Amadeus Mozart verbleef. Neem nu de *Rue Charlemagne,* langs de restanten van een toren en delen van de 13de-eeuwse stadsmuur. Op de doolhof van binnenplaatsen van **Village Saint-Paul** *(bladzijde 70)* met zijn 60 antiekwinkels kunt u rondsnuffelen tussen oude meubels, schilderijen, foto's, lampen en serviesgoed.

Meesterlijke middeleeuwse steenhouwerskunst kijkt van de Notre-Dame neer op Parijs

Ga daarna linksaf de *Rue Saint-Paul* in tot aan de *Passage Saint-Paul,* die u via een zijingang de driebeukige barokkerk **Saint-Paul** met zijn grote koepel binnenvoert. Bij de hoofdingang raast het verkeer van de Rue Saint-Antoine voorbij. Een stuk verder richting Bastille gaat u linksaf de *Rue Caron* in en bereikt u de romantische **Place du Marché Sainte-Cathérine** *(bladzijde 43)* met zijn platanen en cafés. Via de *Rue Turenne* en dan rechts de altijd drukke *Rue des Francs-Bourgeois* met fraaie herenhuizen maar ook chique winkels komt u uit bij de gedistingeerde **Place des Vosges** *(bladzijde 44),* een van de mooiste pleinen van de stad.

In deze wijk wonen veel Joden. De orthodoxen onder hen gaan op vrijdagavond in hun traditionele kleding naar de nabijgelegen synagoge. Aan het eind van de mooie *Rue Payenne* ligt het park *Square Léopold Achille.* Links, in de *Rue Thorigny,* staat het **Musée Picasso** *(bladzijde 43),* dat helaas tot medio 2012 gesloten is. Daarnaast kunt u zich ontspannen in de leren stoelen van het **L'Apparemment Café** *(bladzijde 77)* in de *Rue des Coutures Saint-Gervais.*

EEN DAG IN PARIJS

Een en al actie en unieke belevenissen.
Ga op stap met onze trendwatcher

PETIT DÉJEUNER

9.00

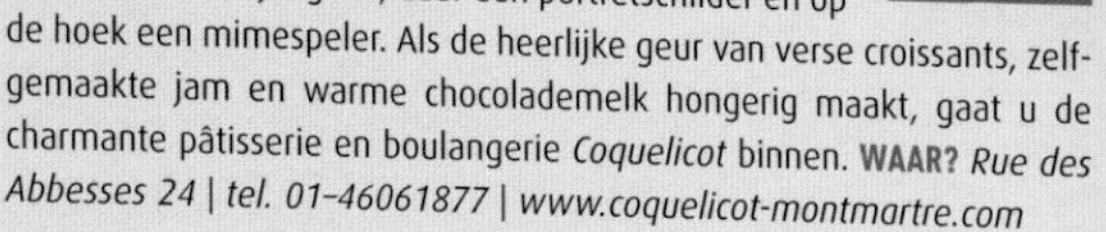

Wakker worden! Ontbijt in de kunstenaarswijk Montmartre: hier een jongleur, daar een portretschilder en op de hoek een mimespeler. Als de heerlijke geur van verse croissants, zelfgemaakte jam en warme chocolademelk hongerig maakt, gaat u de charmante pâtisserie en boulangerie *Coquelicot* binnen. **WAAR?** *Rue des Abbesses 24 | tel. 01-46061877 | www.coquelicot-montmartre.com*

ONTMOET UW FAVORIETE KUNSTENAAR

Onder de indruk van de vrijdenkers van Montmartre? Dan is het nu tijd: meet the artist! Gewoon de catalogus *Meeting the French* bestellen, uw lievelingskunstenaar opzoeken, kijken waar het atelier is en hem of haar een paar geheime tips ontlokken. Dat is pure inspiratie: u zou het liefst direct zelf beginnen. **WAAR?** *Meeting the French, Rue Custine 58 | aanvragen, tel. 01-42511980 | afhankelijk van de kunstenaar 5-120 euro | www.meetingthefrench.com*

HET DAK VAN PARIJS

12.00

Nu op naar de Tour Montparnasse. Binnen een paar seconden is de lift op de 56ste verdieping aangekomen – bij het uitzicht op 210 m hoog kan het u gaan duizelen! Maar het uitzicht is onvergetelijk **WAAR?** *Tour Montparnasse, Av. du Maine 33 | tel. 01-45385256 | toegang circa 10 euro | www.tourmontparnasse56.com*

LUNCHEN ALS EEN VIP

Honger? In de Joodse wijk de Marais vindt u zonder twijfel de beste falafel van de stad! Niet raar opkijken als in *L'As du Fallafel* opeens Lenny Kravitz naast u staat en een portie gefrituurde balletjes van bonen of kikkererwten bestelt. Hij is hier stamgast! Mocht Lenny er niet zijn, pak dan een van de warme bordjes en geniet. **WAAR?** *Rue des Rosiers 34 | tel. 01-48876360*

DA VINCI RIDE

15.00

De Eend wacht. Met de cultauto van de Fransen maakt u een rondrit met gids door Parijs en bezichtigt de plaatsen waar Dan Browns *Da Vinci Code* is opgenomen. Tip: voor de rit begint het dak openrollen en controleren of de claxon het wel doet, want die hebt u op de weg van hotel *Ritz* via het Louvre naar de Champs Élysées in ieder geval nodig. Toet, toet – en rijden maar. **WAAR?** *4 Roues Sous 1 Parapluie SARL | trefpunt: Opéra Garnier, Place de l'Opéra | aanmelden, tel. 06-67322668 | vanaf circa 54 euro | www.4roues-sous-1parapluie.com*

HET TEGEN DE SEINE OPNEMEN

Behoefte aan actie? Neem dan een taxi naar het westen van Parijs. Op een steiger aan de Seine wacht de volgende adrenalinekick op u: we gaan waterskiën! Wissel uw schoenen om voor ski's, span uw beenspieren en maak u gereed voor de strijd tegen de stroming in de Seine. **WAAR?** *SNC de Paris | Allée du Bords de l'Eau | tel. 06-09497884 of 06-14618751 | vanaf circa 35 euro | www.bords-de-seine.com*

DINNER CRUISE

20.30

Weer droog? Van de ski's stapt u over op een schip voor het diner. Het exquise avondmaal smaakt goed bij het uitzicht op Eiffeltoren, Notre-Dame en Louvre. Nu alleen nog maar smullen, naar de band luisteren en de bezienswaardigheden van de stad aan u voorbij zien trekken. **WAAR?** *Bateaux Parisiens | Port de la Bourdonnais | alleen op afspraak: tel. 01-46994313 | vanaf circa 97 euro | www.bateauxparisiens.com*

DANCE THE NIGHT AWAY

De beste dj's van de stad treden op in de *World Place*, waar ze het chique partypubliek in de juiste stemming brengen. De *all-in-one* club – bestaande uit restaurant, bar en disco – is overigens eigendom van Johnny Depp, Sean Penn en John Malkovich. Met een beetje geluk is een van de eigenaars aanwezig. **WAAR?** *Rue Marbeuf 32-34 | tel. 01-56883636 | www.worldplace-paris.com*

> PRAKTISCHE TIPS

De belangrijkste adressen en informatie voor uw reis naar Parijs

ALARMNUMMERS

– Ambulance (Samu): tel. 15
– Arts (SOS Médecins): tel. 01–47077777
– Brandweer, eerste hulp: tel. 18
– Politie: tel. 17
– Tandarts: tel. 01–43375100

AMBASSADES

AMBASSADE VAN BELGIË

Rue de Tilsitt 9 | 75840 Parijs (17de arr.) | tel. 01–44093939 | fax 01–47540764 | e-mail paris@diplobel.org | www.diplomatie.be/parisnl

AMBASSADE VAN NEDERLAND

Rue Eblé 7–9 | 75007 Parijs (7de arr.) | tel. 01–40623300 | fax 01–40623456 | e-mail ambassade@amb-pays-bas.fr | www.mfa.nl/par

AUTO

Er gelden dezelfde verkeersregels als in Nederland en België. Over het algemeen wordt in Parijs nogal roekeloos gereden, maar Parijzenaars hoeven niet koste wat het kost voorrang te hebben. Foutparkeren kan u duur komen te staan, omdat een wielklem wordt aangelegd (ga in dat geval naar het dichtstbijzijnde politiebureau) of uw auto wordt weggesleept. Maximum alcoholpromillage 0,5 procent. Benzine is ongeveer zo duur als bij ons. De pompen van de grote supermarkten zijn goedkoper.

> WEBSITES

Reiswebsites met Insider Tips

Hieronder enkele websites die de vakantieganger veel nuttige gegevens kunnen verschaffen.

> *www.reizenportal.nl* – een online reisbureau met tal van links en de mogelijkheid tot online boeken

> *www.booking.com* – een populaire hotelsite met tienduizenden adressen wereldwijd

> *www.reiswijs.nl* – reisinformatie per land met handige links

> *reisverhalen.pagina.nl* – fascinerende reisverhalen uit de eerste hand

> *reizen.pagina.nl* – overzicht van aan het reizen gewijde sites

> *www.douane.nl* – informatie over wat u mag invoeren op de terugreis

> *www.weeronline.nl* – het weer wereldwijd

> Informatie over de Marco Polo-reisgidsen vindt u op *www.unieboekspectrum.nl*

> *www.marcopolo.de* – (Duitstalige) aanvulling op de Marco Poloreisgidsen, met evenementen, interactieve kaarten en foto's

GEVONDEN VOORWERPEN

BUREAU DES OBJETS TROUVÉS

Rue des Morillons 36 (15de arr.) | tel. 08–21002525 | M 12: Convention | ma–do 8.30–17.00, vr 8.30–16.30 uur

GEZONDHEID

Ingezetenen van de EU hebben met de European Health Insurance Card (EHIC) recht op dezelfde behandeling als de Fransen. Ze kunnen dokterskosten verhalen op de Franse sociale verzekering. Deze vergoedt meestal niet het volledige bedrag. Het afsluiten van een reisverzekering is daarom aan te bevelen.

Apotheken *(pharmacie)* zijn herkenbaar aan een groen kruis en zijn in de regel ma–za tot 20.00 uur geopend, vaak ook langer. Dag en nacht open is: *Pharmacie Les Champs (Dhery) | Av. des Champs-Élysées 84 (Galeries des Champs-Élysées, 8ste arr.) | tel. 01–45620241 | M 1: George V*

HEENREIS

AUTO

Alle autosnelwegen komen uit op de ringweg Boulevard Périphérique. In Parijs kunt u uw auto het beste in de hotelgarage laten staan. Op praktisch alle snelwegen wordt tol geheven. Maximumsnelheid 130 km/u.

TREIN

De hogesnelheidstrein Thalys rijdt negenmaal per dag in circa drieënhalf uur van Amsterdam, via Schiphol, Den Haag HS, Rotterdam, Antwerpen-Berchem en Brussel-Zuid naar Parijs en komt aan op het Gare du Nord, het 'noordstation'. Vanuit Brussel-Zuid duurt de reis maar 1 uur en 25 minuten. Het Gare du Nord biedt aansluiting op het metronet en op de RER B.

> WAT KOST HET?

> KOFFIE	VANAF 2,50 EURO voor een espresso
> SNACK	VANAF 3,70 EURO voor een broodje ham
> WIJN	VANAF 3,50 EURO voor een glas tafelwijn
> CROISSANT	CIRCA 1,10 EURO per stuk
> PARKEREN	VANAF 2,50 EURO voor een uur in een parkeergarage
> TAXI	CIRCA 9 EURO voor een kort ritje

VLIEGTUIG

Alle vluchten uit Nederland en België landen op luchthaven Charles de Gaulle (CDG), 23 km ten noorden van het centrum van Parijs. Vanaf Terminal 1 rijdt een gratis pendelbus naar het RER-station. Van het RER en TGV-station bij Terminal 2 rijden

tussen 4.56 en 23.56 uur treinen naar de binnenstad (Châtelet-Les Halles): een kaartje kost circa 8,50 euro. Air-Francebussen rijden tussen 5.45 en 23.00 uur van beide terminals om het halfuur naar Étoile en Porte Maillot (5.45–23.00 uur in omgekeerde richting): circa 15 euro. Van 7.00–21.00 uur om het halfuur naar het Gare de Lyon en het Gare Montparnasse: circa 16,50 euro. *www.cars-airfrance.com*
De RATP-Roissybus rijdt tussen 6.20 en 23.15 uur om de 15–20 min. van Charles de Gaulle naar Opéra (Rue Scribe) (andere kant op 5.45–23.00 uur): circa 9,10 euro. Taxi's: een rit naar de binnenstad kost 45–50 euro.

INLICHTINGEN IN PARIJS

OFFICE DU TOURISME ET DES CONGRÈS DE PARIS

Kamerbemiddeling tegen een kleine vergoeding (reservering niet mogelijk), tickets, boeken van excursies en informatie. *Rue des Pyramides 25 (1ste arr.) | tel. 08–92683000 | www.parisinfo.com | M 7, 14: Pyramides, RER A: Auber | juni–okt. dag. 9.00–19.00 uur, nov.–mei ma–za 10.00–19.00, zo 11.00–19.00 uur*
Andere bureaus: *Gare de Lyon | Bd. Diderot 20 (12de arr.) | ma–za 8.00–18.00 uur. Gare du Nord | Rue de Dunkerque 18 (10de arr.) | dag. 8.00–18.00 uur. Gare de l'Est | Place du 11 novembre 1918 (10de arr.) | ma–za 7.00–20.00 uur. Trocadéro | Pl. du Trocadéro (16de arr.) | dag. 11.00–19.00 uur. Notre-Dame | Parvis de N.D. (4de arr.) | dag. 10.00–19.00 uur. Bastille | Pl. de la Bastille (11de arr.) | dag. 11.00–19.00 uur. Hoek Champs-Élysées/Av. Marigny (8ste arr.) | april–okt. dag. 9.00–19.00 uur. Montmartre | Place du Tertre 21 (18de arr.) | dag. 10.00–19.00 uur*

INLICHTINGEN VOOR DE REIS

IN NEDERLAND

– *Maison de la France | Prinsengracht 670 | 1017 KX Amsterdam | tel. 0900–1122332 (0,50 euro/min.) | www.franceguide.com*

Pauze aan de Seine op het Île de la Cité

IN BELGIË

– *Frans Verkeersbureau | Guldenvlieslaan 21 | 1060 Brussel | tel. 0902–88025 (0,75 euro/min) | www.franceguide.com*

INTERNET

– Officiële websites: *www.parisinfo.com | www.franceguide.com*
– Hotelreservering: *www.parisinfo.com | www.paris-ile-de-france.com*
– Musea: *www.parisinfo.fr*
– Ticketservice: *www.ticketnet.fr | www.fnac.com*
– Evenementen: *www.leclubparis.com | www.orange.fr | www.chroniscope.com | www.pariscope.fr | www.novaplanet.com*

INTERNETCAFÉS & WIFI

LA BAGUENAUDE [119 E4]

Groot aanbod, ook per minuut. *Rue de la Grande-Truanderie 30 (1ste arr.) | tel. 01–40262774 | M/RER: Châtelet-Les Halles | ma–za 10.00–20.45 uur | www.baguenaude-cafe.com*

MILK

Keten met een groot aantal internetcafés in het hele stadsgebied, 24 uur per dag geopend. Enkele adressen *Rue Soufflot 17 (5de arr.) | tel. 01–44073839 | RER B: Luxembourg. Bd. de Sebastopol 31 (1ste arr.) | tel. 01–40130651 | M/RER: Châtelet-Les Halles. Rue du Quatre Septembre 28 (2de arr.) | tel. 01–40060070 | M 3, 4, 7/RER A: Aubert/Opéra. Rue du Faubourg St. Antoine (12de arr.) | tel. 01-43400300 | M 1, 5, 8: Bastille. www.milklub.com*

Het stadsbestuur heeft op 400 plaatsen in de stad wifiaansluitingen geïnstalleerd. Ze zijn te vinden in parken, bibliotheken en dergelijke. Meestal zijn ze van 7.00 tot 23.00 uur toegankelijk. Informatie op *www.paris.fr*
Ook steeds meer cafés en bars bieden gratis wifi, waaronder alle McDonaldsfilialen. De RATP (Régie autonome des transports Parisiens) heeft op veel metro- en RER-stations internetzuilen met gratis toegang geplaatst.

OPENBAAR VERVOER

De metro, aangevuld met de binnen de stad ondergronds rijdende sneltram (RER) en de bussen, bestrijkt bijna elk hoekje van Parijs. Op alle stations en in de Offices du Tourisme zijn gratis plattegronden te krijgen, waarop naast het nummer van de lijn ook de eindstations zijn aangegeven. Bij het overstappen moet u op sommige stations grote afstanden overbruggen en vele hoge roltrappen voor lief nemen.
Metro en RER rijden van 5.30 tot 1.20 uur, vr, za tot circa 2.15 uur, bussen maar van 6.30 tot 20.30 uur. Tussen 0.30 en 5.30 uur vertrekken vanaf Châtelet elk uur (1.30, 2.30 uur enzovoort) nachtbussen *(noctilien).*
De witte kaartjes gelden binnen de stad voor de metro, RER, tram en bus. U kunt in de metro en RER zonder tijdsbeperking overstappen zo vaak u wilt, zolang u maar onder de grond blijft. In de bus kunnen dezelfde kaartjes worden gebruikt. In bus, metro en RER (hekken!) moet u uw kaartje afstempelen en gereedhouden voor controle.
Kaartjes kunt u kopen bij *tabac*-winkels met het ticketvignet, bij alle metro- en RER-stations en bij de buschauffeur. Een enkele reis kost circa 1,60 euro (nachtbus afhankelijk van de afstand 1–3 maal een enkele reis). Het is goedkoper om een *carnet* (boekje) van tien kaartjes te kopen voor circa 11,60 euro. Kinderen tot vier jaar worden gratis vervoerd.
Voor toeristen zijn er kortingskaarten: Paris Visite voor 1, 2, 3 of 5 dagen geeft ook korting op toegangsprijzen van bezienswaardigheden en kost voor twee dagen circa 14,40 euro (stadsgebied). Een Mobilisdagkaart kost circa 5,90 euro. De zeven dagen geldige Pass Navigo kost circa 17,20 euro (alleen met pasfoto) en kan uitsluitend in het stadsgebied worden gebruikt. Verkrijgbaar op alle metrostations en in het Office du Tourisme.

POST

Hoofdpostkantoor: *Rue du Louvre 52 (1ste arr.) | M 4: Les Halles,* het hele jaar dag en nacht geopend. Een kaart of brief tot 20 g naar een EU-land kost circa 0,70 euro.

RONDVAARTEN & RONDRITTEN

BATOBUS

Van februari tot begin januari vaart op de Seine elke 15–30 minuten een veerboot heen en weer tussen Eiffeltoren en Jardin des Plantes. U kunt bij elk van de acht haltes in- en uitstappen. *Feb.–half maart, nov. 10.30–16.30, half maart–mei, sept, okt. 10.00–19.00, juni–aug. 10.00–21.30 uur | dagkaart circa 12 euro (kind circa 6 euro) www.batobus.com*

LES CARS ROUGES

Elke 10 tot 20 minuten vertrekken de goed zichtbare, vuurrode dubbeldeksbussen van 9.30 tot 18.00 uur van hun beginpunt (laatste bus vertrekt van Trocadéro). U kunt instappen waar u maar wilt. De bus rijdt langs alle belangrijke bezienswaardigheden. Een ticket voor twee dagen kost circa 24 euro (kind circa 12 euro). *Tel. 01–53953953 | www.carsrouges.com*

PARIS L'OPEN TOUR

De open dubbeldeksbus rijdt via drie verschillende routes langs 30 haltes – u kunt bij alle haltes in- en uitstappen. April–okt. 9.00–20.00, nov.–maart 9.00–18.00 uur, dagkaart circa 29 euro (kind 15 euro), voor twee dagen circa 32 euro. *Hoofdvertrekpunt: Rue Auber 13 (9de arr.), M 3, 9: Havre-Caumartin, RER A: Auber | tel. 01–42665656 | www.paris-opentour.com*

PARIS À PIED (PARIJS TE VOET)

Wie van wandelen houdt, kan Parijs ook – zonodig per etappe – te voet doorkruisen. De oost-westroute van het Bois de Boulogne naar het Bois de Vincennes is in totaal 19 km lang, de noord-zuidroute van het Parc Montsouris naar het Parc de la Villette

HET WEER IN PARIJS

	jan.	feb.	maart	april	mei	juni	juli	aug.	sept.	okt.	nov.	dec.
Dagtemperatuur in °C	6	7	12	16	20	23	25	24	21	16	10	7
Nachttemperatuur in °C	1	1	4	6	10	13	15	14	12	8	5	2
Zonuren per dag	2	3	5	7	7	7	7	7	6	4	2	2
Aantal dagen met neerslag per maand	12	10	8	9	9	9	9	9	9	8	10	10

20 km. Routebeschrijvingen zijn verkrijgbaar bij de *Fédération Française de la Randonnée Pédestre | Rue du Dessous des Berges 64 (13de arr.) | tel. 01–44899393 | M 14: Bibliothèque François Mitterrand | ma–vr 10.00–18.00 uur* | www.ffrandonnee.fr

PARIS À VÉLO C'EST SYMPA (PARIJS OP DE FIETS)

Wilt u niet alleen een fiets huren, maar er ook op door de stad worden rondgeleid (ook in het Nederlands!), den bent u hier aan het goede adres. Fiets circa 15 euro per dag, tandem circa 30 euro. *Rue Alphonse Baudin 22 (11de arr.) | M 5: Richard-Lenoir | tel. 01–48876001* | www.parisvelosympa.com | *Dag. 9.00–13.00 en 14.00–18.00 uur (za,zo tot 19.00 uur)*

TAXI

Taxi's kosten circa 2,10 euro basistarief en tussen 0,88 en 1,40 euro per kilometer (afhankelijk van het tijdstip). 's Nachts, in het weekend, met bagage en vanaf een station is de rit duurder. Vraag om een kwitantie *(reçu)*. Als u iets in de taxi bent kwijtgeraakt, kunt u dat melden bij de *Préfecture de Police, Service des Taxis | Rue des Morillons (15de arr.) | tel. 01–55762000 | M 12: Convention.*

– *Algemeen tel. nr.: 01–45303030*
– *Taxi G7: tel. 01–47394739*
– *Taxis Bleus: tel. 08–91701010*
– *Aéro Taxi: tel. 01–47390147*

TELEFOON & MOBIEL

In *café-tabacs*, bij veel kiosken en in het postkantoor zijn telefoonkaarten *(télécartes)* van verschillende waarden te koop. In de aan een bel en een telefoonnummer te herkennen cellen kunt u zich laten terugbellen (dit is veel goedkoper dan mobiel bellen).

Alle Parijse nummers (speciale nummers uitgezonderd) beginnen met 01 en hebben tien cijfers. Het landnummer van Nederland is 0031, van België 0032. Na dit nummer toetst u het netnummer zonder de eerste 0 en dan het abonneenummer. Wie vanuit het buitenland naar Parijs belt, moet eerst het nummer 00331 voor Parijs kiezen (de 0 voor Parijs vervalt), gevolgd door de acht cijfers van het abonneenummer. Een mobiele telefoon heet in het Frans *portable*. Met een Franse prepaidkaart vervallen de kosten voor binnenkomende gesprekken. De voicemailbox zorgt voor hoge kosten. Zet deze thuis al uit.

TICKETS VOOR THEATER

Bij het zoeken naar een ticket staat het Office du Tourisme u met raad en daad terzijde. Verder:

– *Fnac: Forum des Halles | Rue Pierre Lescot 1 (1ste arr.) | tel. 08–92683622 | M/RER: Châtelet-Les Halles* en *Av. des Champs-Élysées 74 (8ste arr.) | tel. 01–53536464* | www.fnac.com | *M 1: George V*
– www.theatreonline.com *of* www.paris-billets.com (online reserveren van kaartjes voor voorstellingen op allerlei gebied, van toneel, dans, klassieke concerten tot moderne muziek).

UITKRANTEN

Pariscope (0,40 euro), *L'Officiel du Spectacle* (0,40 euro), *Zurban* (1 euro) en *Nova* komen allemaal op woensdag uit en bieden een goed overzicht van alle evenementen en voorstellingen in Parijs.

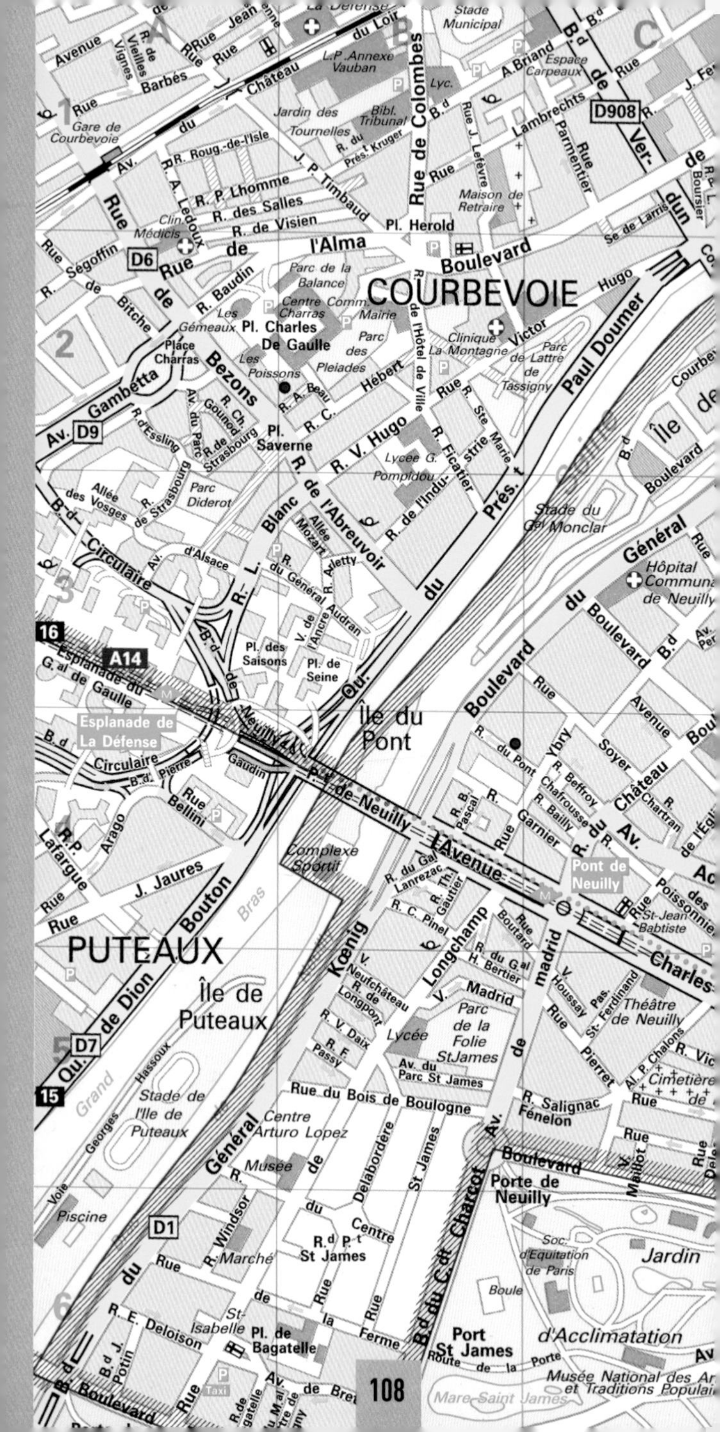
COURBEVOIE
PUTEAUX
Gare de Courbevoie
Stade Municipal
L.P. Annexe Vauban
Jardin des Tournelles
Bibl. Tribunal
Lyc.
Espace Carpeaux
Maison de Retraire
Pl. Herold
Rue de Colombes
Boulevard de Verdun
D908
D6
D9
D7
D1
A14
16
15
Rue de l'Alma
Boulevard Victor Hugo
Parc de la Balance
Centre Comm. Charras
Mairie
Pl. Charles De Gaulle
Place Charras
Les Gémeaux
Les Poissons
Parc des Pleiades
Clinique La Montagne
Parc de Lattre de Tassigny
Av. Gambetta
Rue de Bezons
Pl. Saverne
R. de l'Abreuvoir
Lycee G. Pompidou
Parc Diderot
Allée des Vosges
Bd Circulaire
Av. d'Alsace
Pl. des Saisons
Pl. de Seine
Quai du Prés. Paul Doumer
Stade du Gal Monclar
Hôpital Communal de Neuilly
Île de la Jatte
Île du Pont
Esplanade de La Défense
Esplanade du G. al de Gaulle
Pont de Neuilly
Av. Charles de Gaulle
Complexe Sportif
Rue J. Jaures
Quai de Dion Bouton
Île de Puteaux
Stade de l'Ile de Puteaux
Piscine
Bd du Général Koenig
Lycée
Parc de la Folie St James
Théâtre de Neuilly
Cimetière
Rue du Bois de Boulogne
Centre Arturo Lopez
Musée
R.d P.t St James
Pl. de Bagatelle
Bd du C.dt Charcot
Porte de Neuilly
Soc. d'Equitation de Paris
Jardin d'Acclimatation
Port St James
Route de la Porte
Musée National des Arts et Traditions Populaires
Mare Saint James

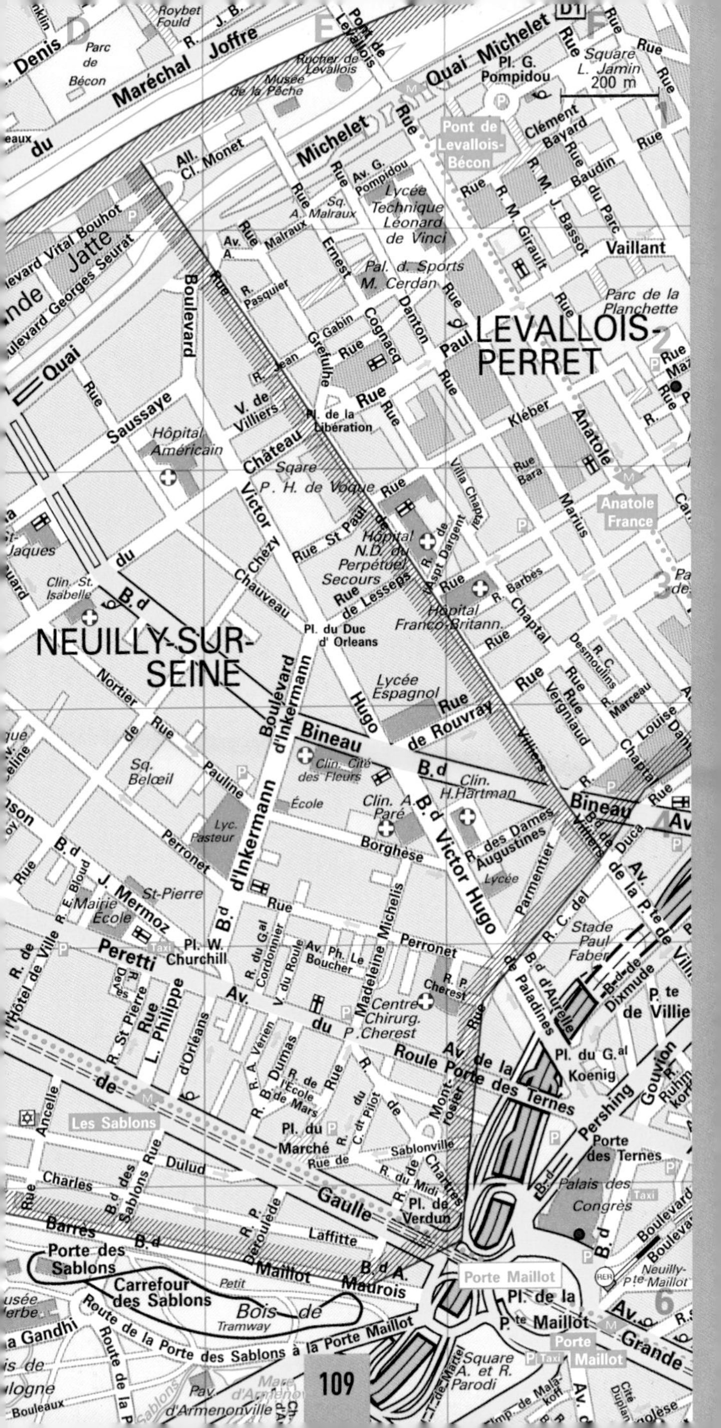
D
E
F
D1
Parc de Bécon
Roybet Fould
R. J. B.
Maréchal Joffre
du
Pont de Levallois
Rucher de Levallois
Musée de la Pêche
Quai Michelet
Pl. G. Pompidou
Square L. Jamin
200 m
1
Clément Bayard
Pont de Levallois-Bécon
All. Cl. Monet
Rue Michelet
Av. G. Pompidou
Sq. A. Malraux
Rue Malraux
Lycée Technique Léonard de Vinci
Rue Baudin
Rue du Parc
R. M. Girault
R. M. J. Bassot
Vaillant
Jatte
Boulevard Vital Bouhot
Boulevard Georges Seurat
Av. A.
R. Pasquier
Rue Ernest
Pal. d. Sports M. Cerdan
Rue Danton
Parc de la Planchette
Boulevard
Rue
Quai
R. Jean
Gabin
Greffulhe
Rue Cognacq
Paul
LEVALLOIS-PERRET
2
Rue Saussaye
Hôpital Américain
V. de Villiers
Pl. de la Libération
Château
Rue Kléber
Anatole
Sqare P. H. de Voque
Victor
Villa Chaptal
Rue Bara
Marius
Anatole France
Rue St Paul
Hôpital N.D. du Perpétuel Secours
R. de l'Aspt Dargent
Chezy
Chauveau
du
Jaques
Clin. St. Isabelle
Rue de Lesseps
R. Barbès
Hôpital Franco-Britann.
Chaptal
3
NEUILLY-SUR-SEINE
B.d
Pl. du Duc d' Orleans
Nortier
Lycée Espagnol
Hugo
Rue de Rouvray
R. C. Desmoulins
Rue Vergniaud
R. Marceau
Louise
Boulevard d'Inkermann
Bineau
Sq. Belœil
Rue de Pauline
Clin. Cité des Fleurs
B.d
Clin. H.Hartman
Villiers
Bineau
École
Clin. A. Paré
Lyc. Pasteur
Perronet
Borghèse
B.d Victor Hugo
R. des Dames Augustines
Lycée
Parmentier
4
B.d J. Mermoz
R. E. Bloud
St-Pierre
Mairie
École
B.d d'Inkermann
Rue Perronet
R. C. del
Stade Paul Faber
Av. de la P.te de Villiers
R. de l'Hôtel de Ville
Taxi
Peretti
Pl. W. Churchill
R. du G.al Cordonnier
Av. du Roule
Av. Ph. Le Boucher
Madeleine Michelis
R. P. Cherest
B.d de Dixmude
P.te de Villiers
R. Devès
R. St Pierre
Rue L. Philippe
d'Orléans
Av. du Roule
Centre Chirurg.
P. Cherest
B.d de Paladines
B.d d'Aurelle
Av. de la Porte des Ternes
Pl. du G.al Koenig
R. A. Vérien
R. B. Dumas
R. de l'École de Mars
Rue
R. du C. dt Pilot
R. de Sablonville
Mont-rosier
Pershing
Gouvion
Les Sablons
Ancelle
Pl. du Marché
Rue de
Porte des Ternes
Dulud
Charles
B.d des Sablons
de Gaulle
R. du Midi
R. de Chartres
Pl. de Verdun
Palais des Congrès
Taxi
Boulevard
Barrès
R. P. Déroulède
Laffitte
B.d
Porte des Sablons
Maillot
B.d A. Maurois
Porte Maillot
Neuilly-P.te-Maillot
Carrefour des Sablons
Petit
Bois de
Tramway
Pl. de la P.te Maillot
Porte Maillot
6
Grande
Route de la Porte des Sablons à la Porte Maillot
Gandhi
Route de la
Boulogne
Bouleaux
Pav. d'Armenonville
Square A. et R. Parodi
Taxi
Cité Dunlan

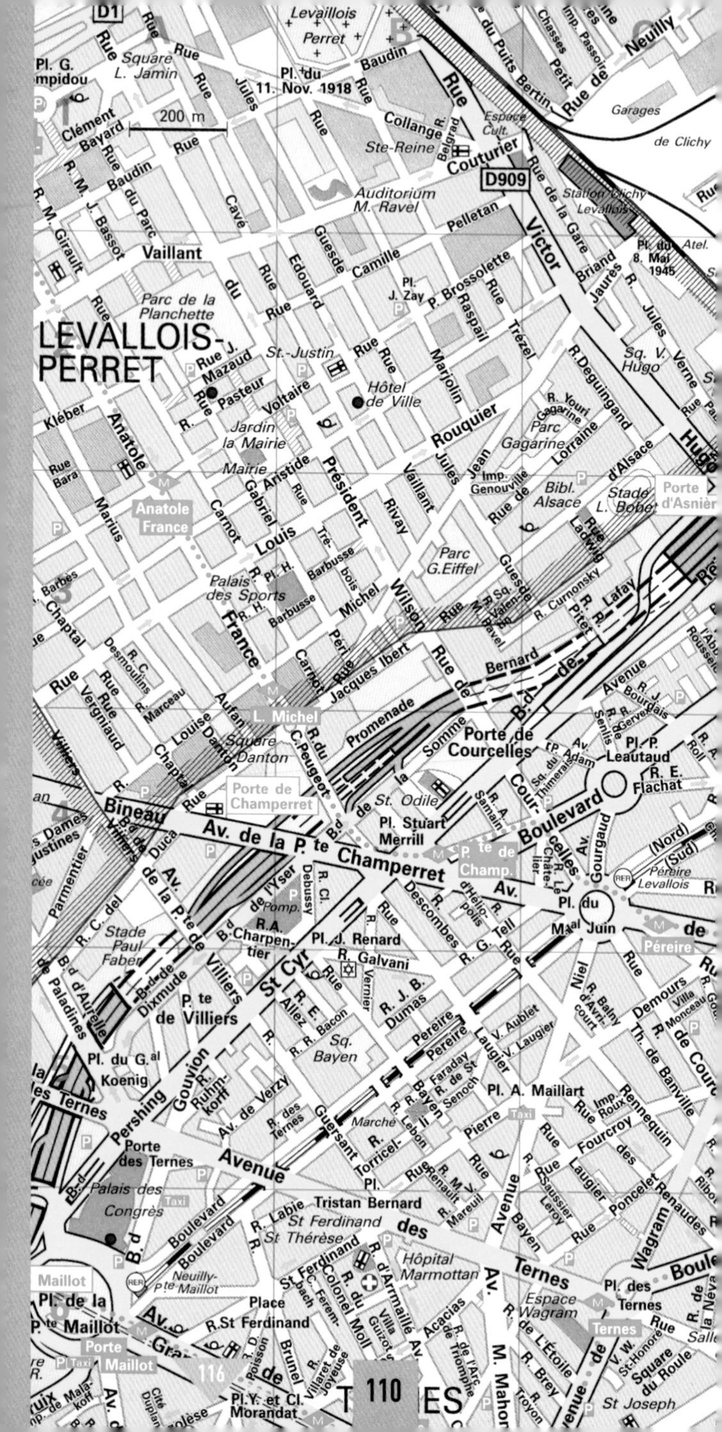
D1
Levallois Perret
Square L. Jamin
Pl. du 11. Nov. 1918
Rue Baudin
Rue du Puits Bertin
Rue de Neuilly
Garages
de Clichy
200 m
Clément Bayard
Rue Collange
Ste-Reine
Espace Cult.
Rue Couturier
D909
Station Clichy Levallois
Auditorium M. Ravel
Rue Pelletan
Rue Victor Hugo
Rue de la Gare
R. M. Girault
J. Bassot
Rue du Parc
Rue Cavé
Rue Jules Guesde
Rue Edouard Vaillant
Camille
Pl. J. Zay
P. Brossolette
Rue Raspail
Rue Trézel
Pl. du 8. Mai 1945
Briand
Jaurès
Jules Verne
Sq. V. Hugo
Parc de la Planchette
LEVALLOIS-PERRET
Rue J. Mazaud
Rue Pasteur
St.-Justin
Rue Voltaire
Hôtel de Ville
Rue Marjolin
R. Deguingand
R. Youri Gagarine
Parc Gagarine
Lorraine
Rouquier
Rue Kléber
Anatole
Jardin la Mairie
Mairie
Aristide
Président
Jules
Jean
Imp. Genouville
Bibl. Alsace
Rue d'Alsace
Stade L. Bobet
Porte d'Asnières
Rue Bara
Marius
Anatole France
Carnot
Gabriel
Louis
Tré-bois
Rivay
Parc G.Eiffel
Rue Ladwig
Palais des Sports
Pl. H. Barbusse
Michel
Wilson
Sq. Valen-tin
R. Curnonsky
Lafay
Barbès
Chaptal
R. C. Desmoulins
Péri
Jacques Ibert
Rue de Bernard
B.d de
Rue Vergniaud
R. Marceau
Louise
Aufan
Danton
Square Danton
L. Michel
C. Peugeot
Promenade
Somme
Porte de Courcelles
Avenue
Pl. P. Leautaud
R. E. Flachat
Villiers
Bineau
Porte de Champerret
St. Odile
Pl. Stuart Merrill
Boulevard
Gourgaud
Av. de la P.te Champerret
P.te de Champ.
Duca
Av. de la P.te de Villiers
R. Cl. Debussy
Descombes
d'Hélio-polis
Pl. du M.al Juin
Péreire
Péreire Levallois
(Nord)
(Sud)
Parmentier
R. C. del
Stade Paul Faber
R. A. Charpen-tier
Pl. J. Renard
R. Galvani
Vernier
R. G. Tell
Niel
Demours
Villa Monceau
B.d d'Aurelle de Paladines
B.d de Dixmude
P.te de Villiers
St Cyr
R. E. Allez
R. R. Bacon
Sq. Bayen
R. J. B. Dumas
Pereire
V. Aublet
V. Laugier
R. Balny d'Avri-court
Th. de Banville
Pl. du G.al Koenig
Pershing
Gouvion
R. Ruhm-korff
Av. de Verzy
R. des Ternes
Guersant
Marché
Bayen
Faraday
R. de St Senoch
Pl. A. Maillart
Imp. Roux
Rennequin
Pierre
Taxi
Fourcroy
Porte des Ternes
Avenue
Torricel-li
Lebon
Renault
R. M. V. Mareuil
Laugier
Poncelet
Renaudes
Wagram
Palais des Congrès
Boulevard
R. Labie
Tristan Bernard
St Ferdinand
St Thérèse
des Ternes
Hôpital Marmottan
Pl. des Ternes
Maillot
Neuilly-P.te Maillot
Pl. de la P.te Maillot
St Ferdinand
Place
R. St Ferdinand
Colonel Moll
R. d'Armaillé
Villa Guizot
Acacias
R. de Triomphe
R. de l'Arc de Triomphe
Espace Wagram
R. de l'Étoile
Ternes
V. W. St-Honoré
Square du Roule
Porte Maillot
Taxi
116
Brunel
Villaret de Joyeuse
Pl. Y. et Cl. Morandat
110
R. Brey
M. Mahon
R. Troyon
St Joseph

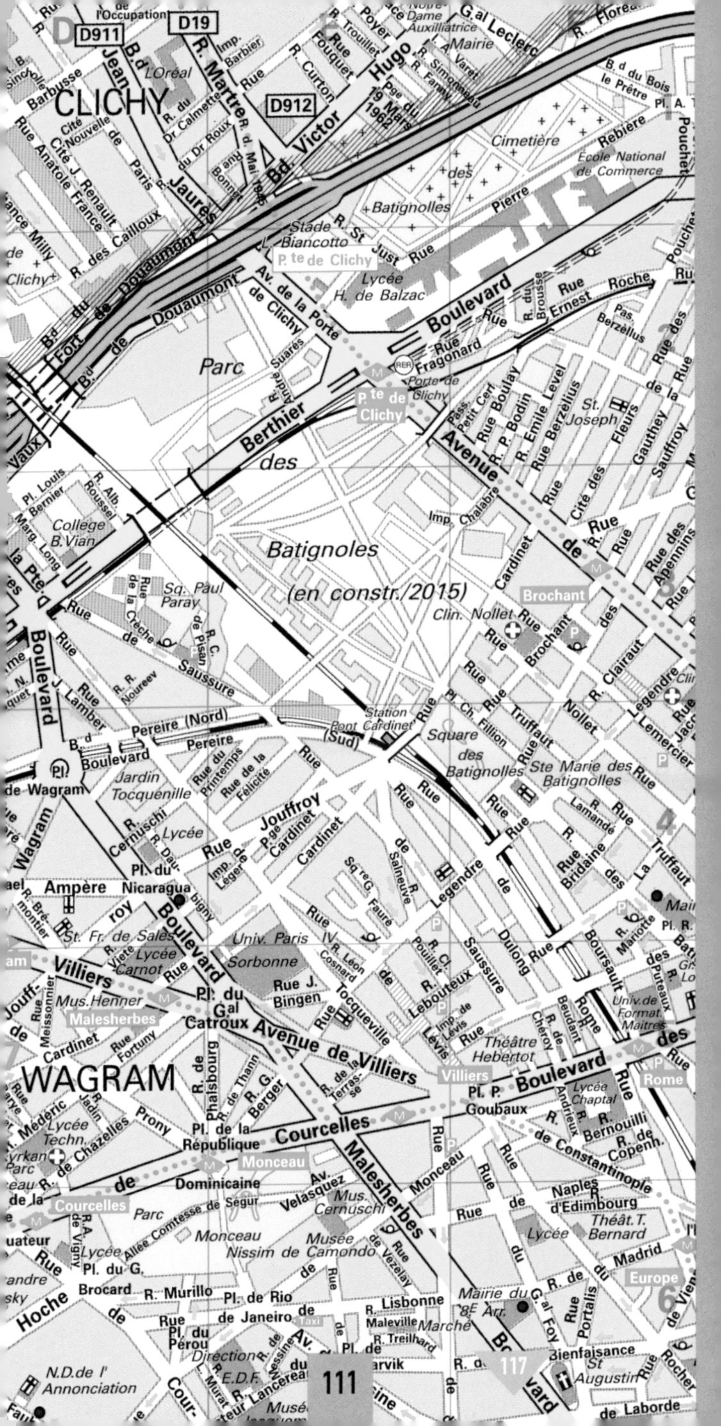
D911
D19
D912
CLICHY
L'Oréal
Bd. Jean Jaurès
R. Martre
R. du Dr Calmette
R. du Dr Roux
Rue Bonnet
R. d. Mai 1945
Imp. Barbier
R. Curton
Rue Fouquet
R. Trouillet
Poyer
Bd. Victor Hugo
Pge du 19 Mars 1962
Notre Dame Auxilliatrice
G.al Leclerc
Mairie
R. Simonneau
R. Fanny
R. Floréal
B. d du Bois le Prêtre
Pl. A.
Pouchet
Cimetière des Batignolles
Rue Rebière
École National de Commerce
Rue Pierre
R. St Just
Stade L. Biancotto
P. te de Clichy
Lycée H. de Balzac
Boulevard
Rue Ernest Roche
R. du Brousse
Pas. Berzélius
Rue Fragonard
Porte de Clichy
Barbusse
Rue Anatole France
Cité Nouvelle
Cité J. Renault
R. des Cailloux
Bd du Fort de Douaumont
Bd. de Douaumont
Av. de la Porte de Clichy
Rue André Suarès
Parc
Berthier
des
Batignoles
(en constr./2015)
Pl. Louis Bernier
R. Alb. Roussel
College B.Vian
Marg. Long
Sq. Paul Paray
Rue de la Crèche
R. C. de Pisan
Rue de Saussure
R. R. Noureev
Boulevard
Pereire (Nord)
Pereire (Sud)
Station Pont Cardinet
Pl. de Wagram
Jardin Tocquenille
Rue du Printemps
Rue de la Félicité
R. Cernuschi
Lycée
Pl. du Nicaragua
Ampère
Rue de Jouffroy
P.ge Cardinet
Rue Cardinet
Imp. Léger
St. Fr. de Sales
Lycée Carnot
Univ. Paris IV Sorbonne
Rue J. Bingen
R. Léon Cosnard
Rue Tocqueville
Sq. re G. Fauré
Rue de Salneuve
R. Cl. Pouillet
R. Lebouteux
Imp. de Lévis
Rue Legendre
Rue Saussure
Rue Dulong
Rue de Rome
Rue Boursault
Pass. Petit Cerf
Rue Boulay
R. P. Bodin
R. Emile Level
Rue Berzélius
St. Joseph
Cité des Fleurs
Rue Gauthey
Rue Sauffroy
Avenue de Clichy
Imp. Chalabre
Rue Cardinet
Brochant
Clin. Nollet
Rue Brochant
Rue Nollet
R. Clairaut
Rue Legendre
Rue Lemercier
Rue des Apennins
Pl. Ch. Fillion
Square des Batignolles
Rue Truffaut
Ste Marie des Batignolles
R. Lamandé
Rue Bridaine
Rue des Dames
Rue La Condamine
R. Mariotte
Rue des Moines
Rue des Batignolles
Univ. de Format. Maîtres
Mus. Henner
Malesherbes
Villiers
Pl. du G.al Catroux
Avenue de Villiers
Rue Meissonnier
Rue Fortuny
Rue Cardinet
WAGRAM
R. de Phalsbourg
R. de Thann
R. G. Berger
R. de la Terrasse
Prony
Pl. de la République Dominicaine
Courcelles
Monceau
Malesherbes
Villiers
Théâtre Hebertot
Boulevard des Batignolles
Pl. P. Goubaux
Lycée Chaptal
R. Andrieux
R. Bernouilli
R. de Copenh.
Rue de Constantinople
Rome
Rue de Chazelles
Lycée Techn.
Parc Monceau
Allée Comtesse de Ségur
Av. Velasquez
Mus. Cernuschi
Musée Nissim de Camondo
Rue de Vézelay
Rue de Monceau
Rue de Naples
R. d'Edimbourg
Rue du Rocher
Théât. T. Bernard
Lycée
Rue de Madrid
Europe
Rue Portalis
Rue de Vienne
Pl. du G. Brocard
R. Murillo
Pl. de Rio de Janeiro
Rue de Lisbonne
Maleville
Marché
Mairie du 8E Arr.
R. Treilhard
G.al Foy
Bienfaisance
St Augustin
Rue de Laborde
Hoche
Rue Pl. du Pérou
Direction E.D.F.
R. de Messine
Av. de Messine
Rue du Lancereau
R. Murat
N.D.de l' Annonciation
Cour-
Musée
117

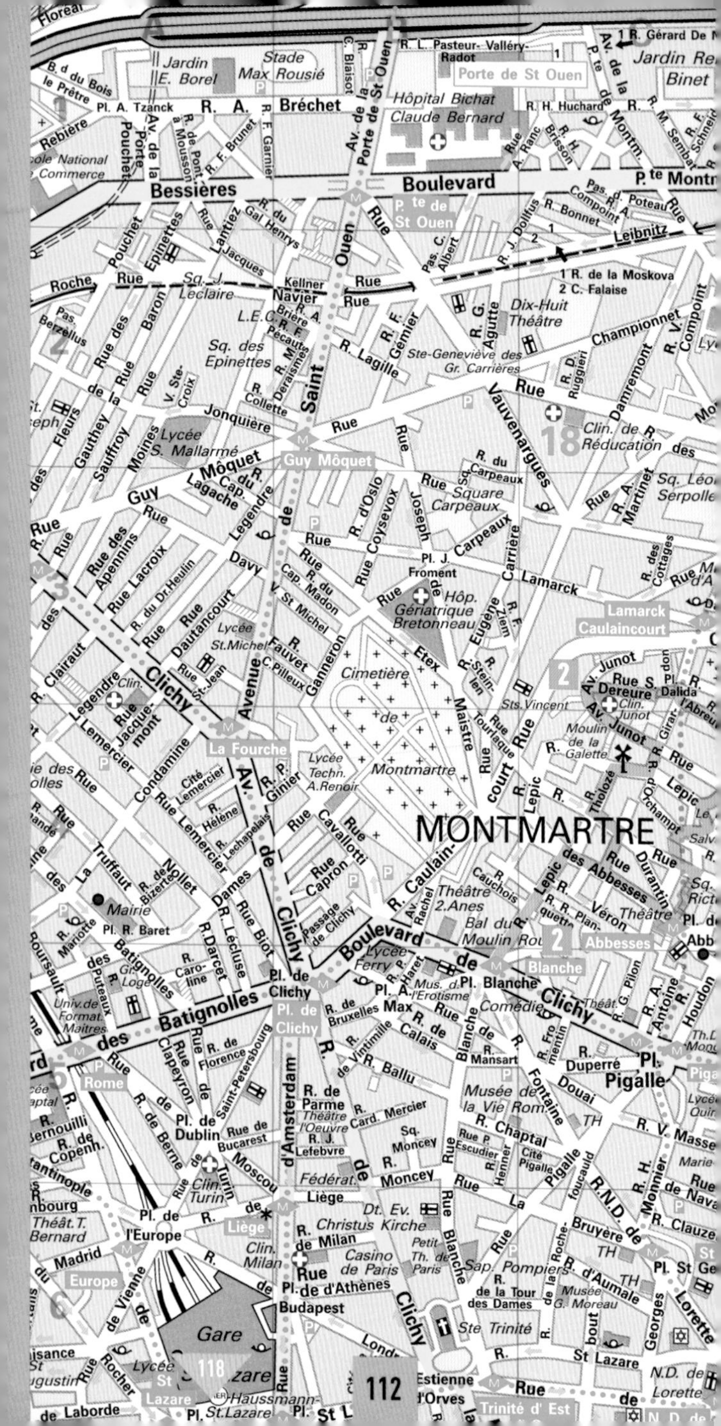

Jardin E. Borel
Stade Max Rousié
R. L. Pasteur-Valléry-Radot
Porte de St Ouen
Hôpital Bichat Claude Bernard
R. Gérard De N
Jardin Binet
Pl. A. Tzanck
R. A. Bréchet
Av. de la Porte de St Ouen
R. H. Huchard
Av. de la P.te de Montm.
Rebière
Av. de la Porte Pouchet
R. F. Brunet
R. F. Garnier
R. M. Sembat
Boulevard Bessières
Boulevard
P.te Montm.
P.te de St Ouen
R. Bonnet
Leibnitz
R. Lantiez
R. Jacques Kellner
Rue Navier
Roche
Sq. J. Leclaire
1 R. de la Moskova
2 C. Falaise
Rue des Epinettes
Pouchet
Rue Baron
Sq. des Epinettes
R. Lagille
R. F. Gémier
R. G. Agutte
Dix-Huit Théâtre
Ste-Geneviève des Gr. Carrières
Championnet
R. V. Compoint
Rue de la Jonquière
Rue Gauthey
Rue Sauffroy
Rue des Moines
Lycée S. Mallarmé
Rue Saint Ouen
Guy Môquet
Rue Vauvenargues
Rue Damrémont
18
Clin. de Réducation
Rue Guy Môquet
R. du Cap. Lagache
R. Legendre
Av. de Saint Ouen
R. d'Oslo
Rue Coysevox
Rue Joseph de Maistre
R. du Carpeaux
Square Carpeaux
Rue Carpeaux
R. A. Martinet
Sq. Léon Serpollet
Rue des Apennins
Rue Lacroix
R. du Dr. Heulin
Rue Dautancourt
Rue Davy
R. du Cap. Madon
V. St Michel
Pl. J. Froment
Hôp. Gériatrique Bretonneau
Rue Lamarck
Lamarck Caulaincourt
R. des Cottages
Lycée St.Michel
R. Fauvet
C. Pilleux
Rue Ganneron
Cimetière de Montmartre
Rue Etex
Rue Eugène Carrière
Av. Junot
Rue S. Dereure
Pl. Dalida
Clin. Junot
Sts. Vincent
Moulin de la Galette
Rue Tholozé
Rue Lepic
Avenue de Clichy
La Fourche
Clin. Jacquemont
Rue Legendre
Rue Lemercier
Rue Condamine
Cité Lemercier
R. Hélène
R. Lechapelais
R. P. Ginier
Lycée Techn. A.Renoir
Rue Caulaincourt
MONTMARTRE
Rue des Abbesses
Rue Durantin
Rue Véron
Théâtre
Rue Cavallotti
Rue Capron
Passage de Clichy
Av. Rachel
Théâtre 2.Anes
Bal du Moulin Rouge
R. Cauchois
Abbesses
Blanche
Rue Truffaut
R. de Bizerte
Rue Nollet
Rue des Dames
R. Lécluse
Rue Biot
Mairie
Pl. R. Baret
Rue des Batignolles
R. Darcet
R. Caroline
Boulevard de Clichy
Lycée Ferry
Mus. de l'Erotisme
Pl. Blanche
Comédie
Pl. de Clichy
Boulevard des Batignolles
Univ. de Format. Maitres
R. de Bruxelles
R. de Calais
Rue Blanche
Rue Fontaine
R. Mansart
R. G. Pilon
R. A. Antoine
R. Houdon
Rue Duperré
Pl. Pigalle
Pigalle
Rome
Rue Clapeyron
Rue de Florence
Rue de Saint-Pétersbourg
R. de Vintimille
R. Ballu
Rue Douai
Musée de la Vie Rom.
R. de Bernouilli
R. de Copenh.
Rue de Berne
Pl. de Dublin
Rue de Bucarest
R. d'Amsterdam
R. de Parme
Théâtre l'Oeuvre
R. J. Lefebvre
R. Card. Mercier
Sq. Moncey
R. Moncey
R. Chaptal
Cité Pigalle
R. Henner
Rue Pigalle
R. N.D. de Lorette
R. H. Monnier
R. V. Massé
Rue de Navarin
Constantinople
Clin. Turin
Rue de Turin
Rue de Moscou
Fédérat.
Rue de Liège
Liège
Pl. de l'Europe
Théât. T. Bernard
Rue de Madrid
Europe
Clin. Milan
R. de Milan
Christus Kirche
Dt. Ev.
Casino de Paris
Petit Th. de Paris
Rue de Clichy
Rue La Bruyère
R. d'Aumale
R. Clauzel
Pl. St Georges
Sap. Pompiers
Rue de Vienne
Gare St Lazare
Rue de Rome
Pl. de Budapest
Rue d'Athènes
Rue de Londres
Ste Trinité
R. de la Tour des Dames
Musée G. Moreau
Rue de la Rochefoucauld
Rue St Lazare
Rue Georges
Lorette
N.D. de Lorette
Rue du Rocher
St Lazare
Haussmann-St.Lazare
Pl. St L
Estienne d'Orves
Trinité d' Est
Rue de Laborde
118

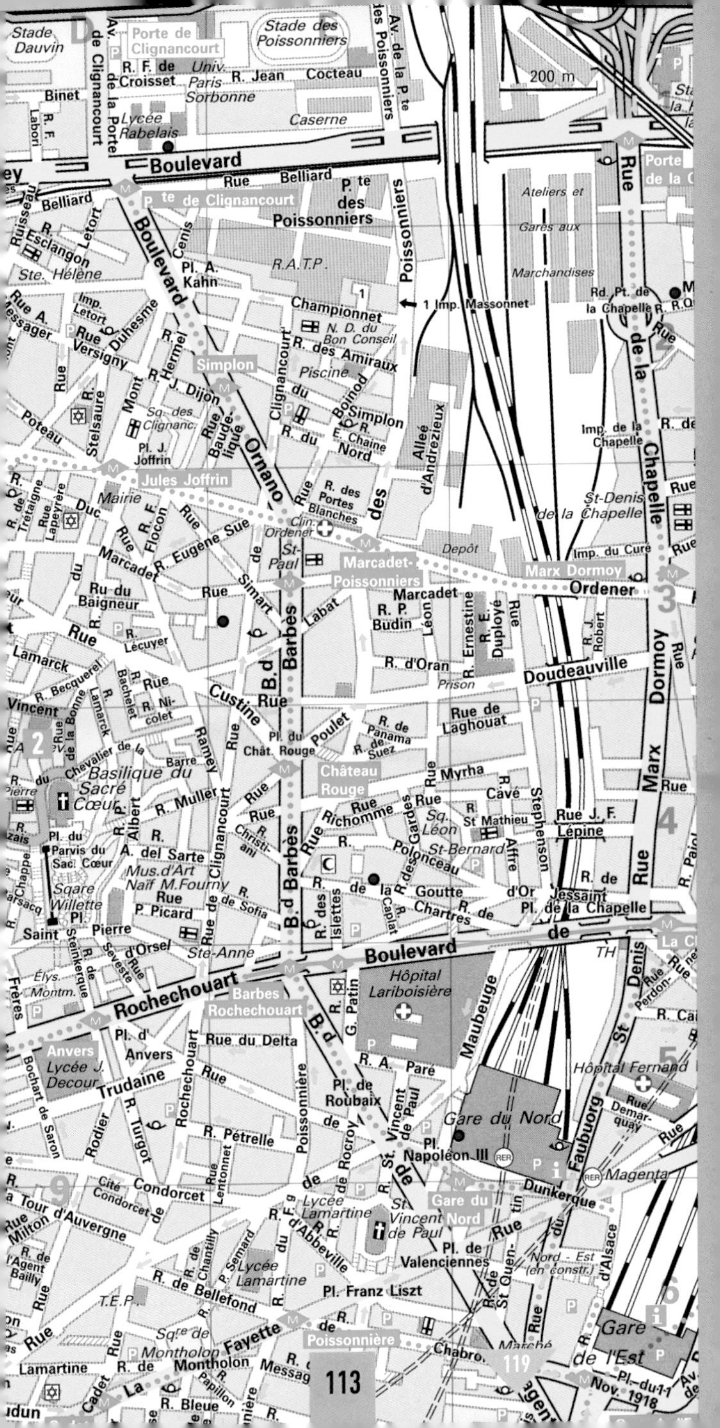

Stade Dauvin
Porte de Clignancourt
Stade des Poissonniers
Av. de la P.te des Poissonniers
R. F. de Croisset
Univ. Paris Sorbonne
R. Jean Cocteau
Caserne
Binet
Lycée Rabelais
Av. de la Porte de Clignancourt
200 m
Boulevard
Rue Belliard
P.te de Clignancourt
P.te des Poissonniers
Ateliers et Gares aux Marchandises
Rue de la Chapelle
Porte de la C
R. Esclangon
Letort
Ste. Hélène
Boulevard Ornano
Pl. A. Kahn
Cenis
R.A.T.P.
Championnet
1 Imp. Massonnet
Rd. Pt. de la Chapelle
N. D. du Bon Conseil
R. des Amiraux
Piscine
Simplon
R. du Simplon
R. du Nord
E. Chaîne
Boinod
Allée d'Andrezieux
Rue A. Messager
Imp. Letort
Rue Versigny
Duhesme
R. Hermel
J. Dijon
Rue Baudelique
Sq. des Clignanc.
Pl. J. Joffrin
Jules Joffrin
Poteau
Stelsaure
Mont Cenis
Imp. de la Chapelle
St-Denis de la Chapelle
Mairie
R. F. Flocon
Rue Eugène Sue
R. des Portes Blanches
Clin. Ordener
St-Paul
Marcadet-Poissonniers
Marx Dormoy
Ordener
Imp. du Curé
Dépôt
Rue Marcadet
Ru du Baigneur
Rue de Simart
Labat
R. P. Budin
Léon
R. Ernestine
R. E. Duployé
R. J. Robert
Rue Lamarck
R. Lécuyer
Lamarck
R. Becquerel
R. d'Oran
Prison
Doudeauville
Rue Marx Dormoy
Vincent
Rue Custine
B.d Barbès
R. Nicolet
Rue Ramey
Pl. du Chât. Rouge
Rue Poulet
R. de Panama
R. de Suez
Rue de Laghouat
Château Rouge
Rue Myrha
Basilique du Sacré Cœur
Chevalier de la Barre
R. Muller
Rue Richomme
Rue des Gardes
Sq. Léon
R. St Mathieu
Rue J. F. Lépine
R. Cavé
Stephenson
Pl. du Parvis du Sac. Cœur
R. A. del Sarte
R. Christiani
R. Polonceau
St-Bernard
Affre
Mus. d'Art Naïf M. Fourny
Sqare Willette
Rue P. Picard
R. de Sofia
R. de la Goutte d'Or
R. des Islettes
R. Caplat
R. de Chartres
Pl. de la Chapelle
Jessaint
Saint Pierre
Steinkerque
d'Orsel
Ste-Anne
Boulevard de Rochechouart
Barbès Rochechouart
Hôpital Lariboisière
Maubeuge
Rue St Denis
Faubourg
Élys. Montm.
Anvers
Pl. d' Anvers
Rue du Delta
Lycée J. Decour
Trudaine
R. Turgot
Rodier
Bochart de Saron
R. Pétrelle
Poissonnière
Pl. de Roubaix
R. A. Paré
B.d de Rocroy
Gare du Nord
Hôpital Fernand
Pl. Napoléon III
Magenta
Condorcet
Cité Condorcet
Rue Lentonnet
La Tour d'Auvergne
Rue Milton
Lycée Lamartine
St Vincent de Paul
Gare du Nord
Dunkerque
Rue d'Abbeville
R. de Chantilly
P. Semard
Lycée Lamartine
Pl. de Valenciennes
Nord - Est (en constr.)
R. de l'Agent Bailly
T.E.P.
R. de Bellefond
Pl. Franz Liszt
Rue de St Quentin
Rue d'Alsace
Gare de l'Est
Sq.re de Montholon
Fayette
Poissonnière
Chabrol
Marché
119
Lamartine
R. de Montholon
Messag
Cadet
R. Bleue
Papillon
Pl. du 11 Nov. 1918

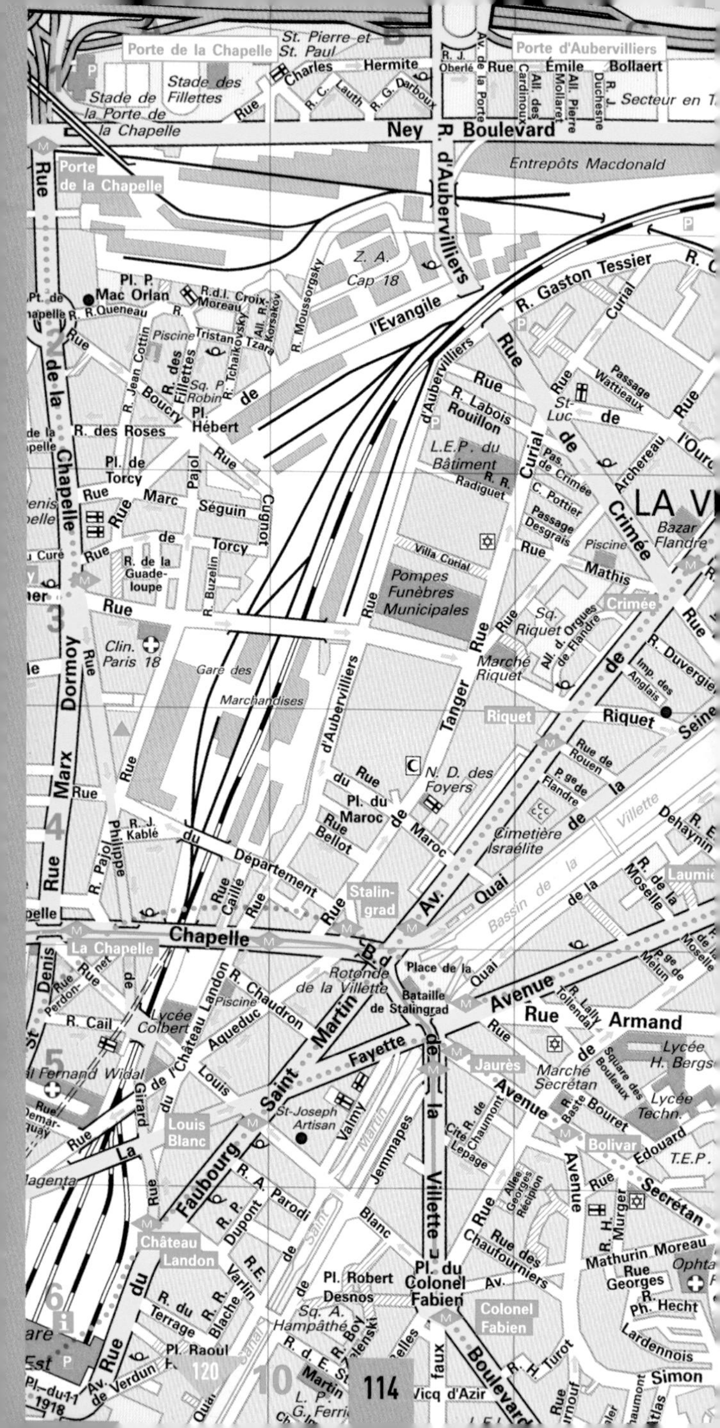
Porte de la Chapelle
St. Pierre et St. Paul
Porte d'Aubervilliers
R. J. Oberlé
Av. de la Porte
Rue Émile Bollaert
Charles Hermite
R. C. Lauth
R. G. Darboux
All. des Cardinoux
All. Pierre Mollaret
R. J. Duchesne
Secteur en T.
Stade des Fillettes
Stade de la Porte de la Chapelle
Ney
Boulevard
R. d'Aubervilliers
Entrepôts Macdonald
Porte de la Chapelle
Z. A. Cap 18
R. Gaston Tessier
Pl. P. Mac Orlan
R.d.l. Croix-Moreau
R. Queneau
Piscine
Tristan Tzara
R. Tchaikovsky
All. R. Korsakov
R. Moussorgsky
l'Evangile
R. Jean Cottin
R. des Fillettes
Sq. P. Robin
Pl. Hébert
Boucry
R. des Roses
Pl. de Torcy
Rue Marc Séguin
Pajol
Cugnot
Rue de Torcy
R. de la Guadeloupe
R. Buzelin
Rue de la Chapelle
Rue d'Aubervilliers
R. Labois Rouillon
L.E.P. du Bâtiment
R. R. Radiguet
Curial
Pas. de Crimée
C. Pottier
Passage Desgrais
Villa Curial
Pompes Funèbres Municipales
Rue Mathis
Passage Wattieaux
St-Luc
Rue de l'Ourcq
Archereau
Rue de Crimée
LA VI
Bazar Flandre
Piscine
Crimée
Sq. Riquet
All. d. Orgues de Flandre
Marché Riquet
Rue Tanger
R. Duvergier
Imp. des Anglais
Riquet
Rue de Rouen
P ge de Flandre
Av. de la Seine
Villette
Cimetière Israélite
Dehaynin
R. de la Moselle
Laumière
Quai de la Seine
Bassin de la Villette
Clin. Paris 18
Gare des Marchandises
Rue Dormoy
Marx
Rue Philippe
R. J. Kablé
R. Pajol
Rue du Département
Rue Caillé
N. D. des Foyers
Rue du Maroc
Pl. du Maroc
Rue Bellot
Rue de Maroc
Stalingrad
La Chapelle
Chapelle
Bd de la Chapelle
Rue Perdonnet
R. Cail
Lycée Colbert
Piscine
R. Chaudron
Aqueduc
Rue du Château Landon
Rue Louis Blanc
Rotonde de la Villette
Place de la Bataille de Stalingrad
Quai de la Loire
Avenue Jean Jaurès
R. Lally Tollendal
Rue Armand Carrel
Lycée H. Bergson
Rue Saint Martin
Fayette
Faubourg Saint
Jaurès
Marché Secrétan
Square des Bouleaux
R. Baste
Bouret
Lycée Techn.
Fernand Widal
Rue Girard
Louis Blanc
St-Joseph Artisan
Valmy
Jemmapes
Cité Lepage
R. de Chaumont
Bolivar
Edouard
T.E.P.
Magenta
R. A. Parodi
R. P. Dupont
R. E. Varlin
Blanc
Rue de la Villette
Rue Allée Georges Récipon
R. H. Murger
Avenue Secrétan
Mathurin Moreau
Ophta
Château Landon
Rue des Chaufourniers
Rue Georges
R. Ph. Hecht
R. du Terrage
R. R. Blache
Pl. Robert Desnos
Sq. A. Hampâthé
R. Boy Zelenski
Pl. du Colonel Fabien
Colonel Fabien
Lardennois
Canal Saint Martin
Pl. Raoul
Rue du
Av. de Verdun
Pl. du 11 1918
Est
R. d. E.
L. P. G. Ferri
Vicq d'Azir
Boulevard
R. H. Turot
Simon
120
10

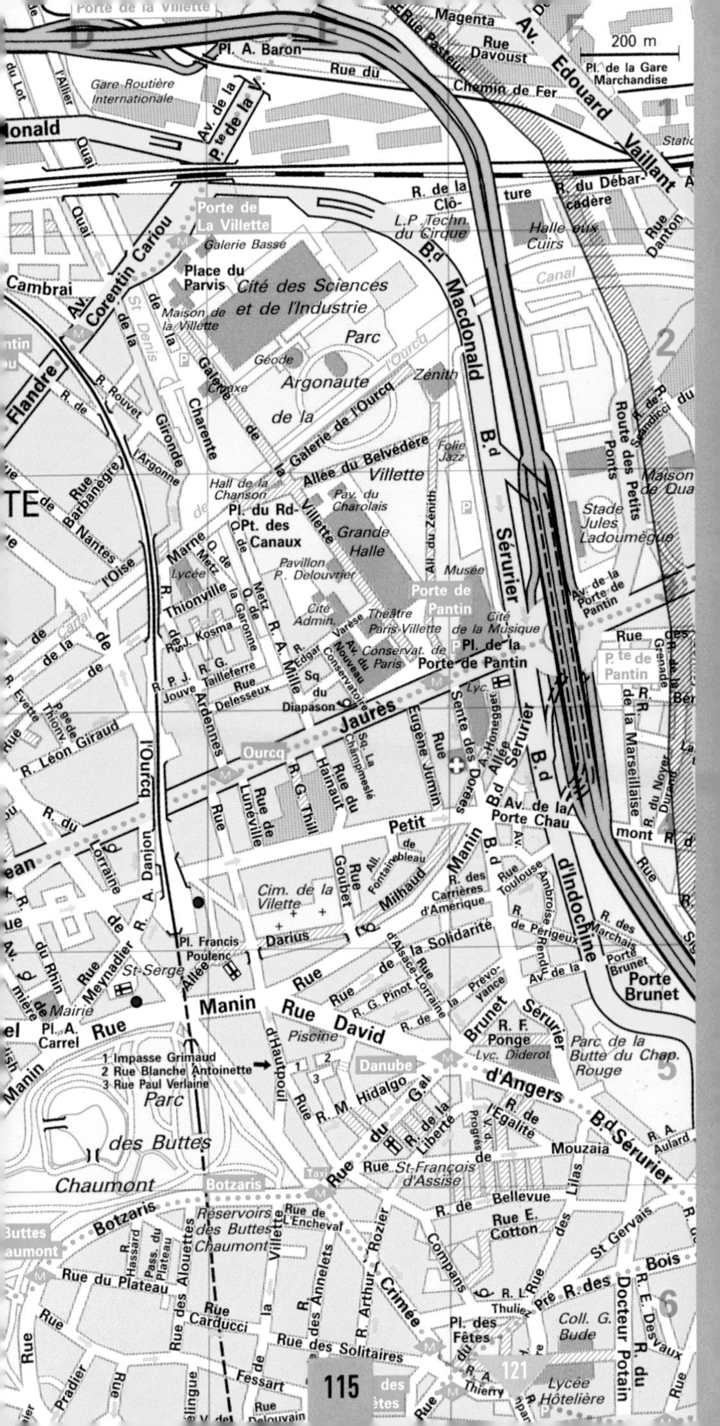

Porte de la Villette
Pl. A. Baron
Magenta
Rue Pasteur
Rue Davoust
Av. Edouard Vaillant
200 m
Pl. de la Gare Marchandise
Rue du Chemin de Fer
Gare Routière Internationale
Av. de la P.te de la V.
Quai
R. de la Clôture
R. du Débarcadère
Rue Danton
Porte de La Villette
L.P. Techn. du Cirque
Halle aux Cuirs
Galerie Basse
Place du Parvis
Cité des Sciences et de l'Industrie
Canal
Av. Corentin Cariou
Cambrai
Maison de la Villette
Parc
Géode
Argonaute
Zénith
B.d Macdonald
Route des Petits Ponts
R. de Sampaix
Maison de Quartier
Flandre
R. Rouvet
Galerie de la Charente
Gironde
Galerie de l'Ourcq
Allée du Belvédère
Folie Jazz
Villette
de la
Hall de la Chanson
Pl. du Rd-Pt. des Canaux
Pav. du Charolais
Grande Halle
Stade Jules Ladoumègue
Rue Barbanègre
R. de Nantes
Marne
Lycée
Pavillon P. Delouvrier
Musée
Sérurier
Av. de la Porte de Pantin
Porte de Pantin
Cité de la Musique
Cité Admin.
Théâtre Paris-Villette
R. Thionville
Q. de Metz
Q. de la Garonne
R. J. Kosma
R. G. Tailleferre
R. P. J. Jouve
R. Ardennes
Rue Delesseux
R. A. Mille
Conservat. de Paris
Pl. de la Porte de Pantin
P.te de Pantin
Rue des Grenade
R. de la Marseillaise
Sq. du Diapason
Jaurès
Sq. La Champmeslé
Rue Eugène Jumin
Sente des Dorées
Allée A. Honegger
R. Léon Giraud
l'Ourcq
Ourcq
Rue de Lunéville
R. G. Thill
Rue du Hainaut
B.d Sérurier
Av. de la Porte Chaumont
R. du Noyer Durand
Petit
Cim. de la Villette
Rue Goubet
All. Fontainebleau
Milhaud
Manin
R. des Carrières d'Amérique
Rue Toulouse
Av. Ambroise Rendu
R. de Périgueux
d'Indochine
R. des Marchais
Porte Brunet
Darius
Pl. Francis Poulenc
Allée
R. A. Danjon
Rue Meynadier
St-Serge
Rue de la Solidarité
R. G. Pinot
Rue d'Alsace-Lorraine
R. de la Prévoyance
Av. de la
Mairie
Pl. A. Carrel
Rue Manin
Rue David d'Angers
Piscine
Brunet
R. F. Ponge
Lyc. Diderot
Parc de la Butte du Chap. Rouge
1 Impasse Grimaud
2 Rue Blanche Antoinette
3 Rue Paul Verlaine
Danube
Rue d'Hautpoul
R. M. Hidalgo
Rue du G.al
R. de la Liberté
R. de l'Égalité
Mouzaia
R. A. Aulard
Parc des Buttes Chaumont
Botzaris
Rue St-François d'Assise
R. de Bellevue
Rue E. Cotton
Rue des Lilas
St Gervais
Réservoirs des Buttes Chaumont
Rue de L'Encheval
Rozier
Compans
Buttes Chaumont
R. Hassard
Pass. du Plateau
Rue des Alouettes
Villette
Rue du Plateau
Rue Carducci
R. des Annelets
R. Arthur Rozier
Crimée
Pl. des Fêtes
Pré
R. des Bois
Coll. G. Bude
Rue Docteur Potain
R. du E. Desvaux
Rue des Solitaires
Fessart
Pradier
Rue Delouvain
R. A. Thierry
Lycée Hôtelière
121

120
Maillot
TERNES
Argentine
Y. et Cl. Morandat
R. Anatole de la Forge
Av. de la Grande Armée
Av. de Malakoff
Pergolèse
Clin. A. Pergolèse
R. Duret
R. le Sueur
Rue Chalgrin
R. d'Argentine
R. Rude
R. Carnot
Av. Mac Mahon
R. Brey
R. Troyon
Avenue de Wagram
R. Tilsitt
St Joseph
Square du Roule
Beaujon
Ch. de Gaulle Étoile
Arc de Triomphe
Place Charles de Gaulle
Ch. de Gaulle-Étoile
Av. de Friedland
R. Lord Byron
Avenue des Champs-Élysées
Air France
Rue Galilée
R. Euler
R. Bassano
Pl. H. Dunant
R. Quentin Bauchart
Avenue Foch
R. Piccini
R. L. Pichat
R. Weber
R. Berlioz
Musée Arménien
Musée d'Ennery
R. Pl. du Vénézuela
R. P. Le Roux
Musée Dapper
Victor Hugo
Avenue Victor Hugo
Clin. V. Hugo
R. du Dôme
R. Lauriston
Avenue Kléber
Kléber
Centre de Conférences Internationales
R. Pérouse
R. d'Urville
Avenue d'Iéna
Avenue Marceau
R. Vacquerie
Pl. de l'Uruguay
R. J. Giraudoux
Pl. Victor Hugo
R. Bugeaud
R. de Sontay
R. de la Pompe
St Honoré d'Eylau
Réservoir de Passy
Rue Copernic
Rue Valéry
R. La Pérouse
R. Dumont d'Urville
R. Galilée
CHAILLOT
Av. Raymond Poincaré
Rue Mesnil
Nouv. Église St Honoré d'Eylau
Sap. Pompiers
Marché
Rue Saint Didier
Imp. Kléber
R. Cimarosa
Pl. des États-Unis
Musée Baccarat
Lycée Assomption
Clin. Bizet
St Pierre de Chaillot
Pl. Amiral de Grasse
R. de Chaillot
R. Bizet
Rue de Serbie
R. Pierre 1er de Serbie
Musée de Stylo
St Étienne
R. Freycinet
Pl. P. Brisson
Boissière
R. L. Delibes
Rue Boissière
R. B. de Longchamp
R. Hamelin
R. de Lübeck
Caserne
Sablons
Pl. de Mexico
Rue de Longchamp
Pl. M. Dietrich
Musée Guimet
Av. Palais Galliera
Av. Prés. Wilson
Pl. de Tokyo
Palais de Tokyo
Pl. d'Iéna
Iéna
Trocadéro
Av. d'Eylau
R. Greuze
Av. G. Mandel
Place du Trocadéro et du 11 Novembre
Avenue du Président Wilson
Union de l'Europe Occidentale
Conseil Économique et Social
R. Fresnel
Musée d'Art Moderne
Av. de New York
Passerelle Debilly
Excursion en bateau
Pt de l'Alma
Min. de l'Environnement
Cimetière de Passy
Mus. National
Av. A. de Mun
Av. des Nations Unies
Pl. José Marti
Rue Pétrarque
Palais de Chaillot
Jardins du Trocadéro
Mus. de l'Homme
Mus. de la Marine
Port Debilly
Port de la Bourdonnais
Quai Branly
Musée des Arts Premiers Quai Branly
Av. Paul Doumer
R. Scheffer
R. Vineuse
R. Franklin
R. Le Tasse
Av. des Camoëns
École
Pl. de Varsovie
Excursion en bateau
Av. des Nations Unies
Pont d'Iéna
Av. Rapp
Rue de Monttessuy
R. du Gal Camou
Pl. de Costa Rica
Bd Delessert
R. Le Nôtre
R. Chardin
Rue de Passy
Musée du Vin
Passy
R. Raynouard
Av. de Suffren
Quai Branly
Tour Eiffel
Av. G. Eiffel
Av. E. Reclus
Pl. du Général Gouraud
Parc du Champ de Mars
Av. Kennedy
Av. M. Proust
R. Ch. Dickens
Av. Frémiet
1 Rue de l'Abbé Gillet
Maison H. de Balzac
Av. du Président Kennedy
G. Pompidou
Pont de Bir Hakeim
Port de Passy
Allée des Cygnes
Stade E. Anthoine
Pl. de Sydney
R. Rey
R. du Gal Lambert
Piscine
Datar
Pl. Jacques Rueff
Av. Bouvard
Av. Charles Floquet
R. Anatole France
R. Thomy Thierry
Av. C. Risler
R. Jean Rey
Pl. de Kyoto
Bir Hakeim
Boulevard de Grenelle
Port de Grenelle
Place de Bolivie
R. Nélaton
T.E.P.
R. St Saëns
Direction Journaux Officiel
R. du Capit. Scott
R. Desaix
Rue de la Fédération
Cité de Presles
Imp. Morieux
R. Edgar Faure
Al. M. Yourcenar
Villa Dupleix
Av. de Suffren
122
Mars
Seine

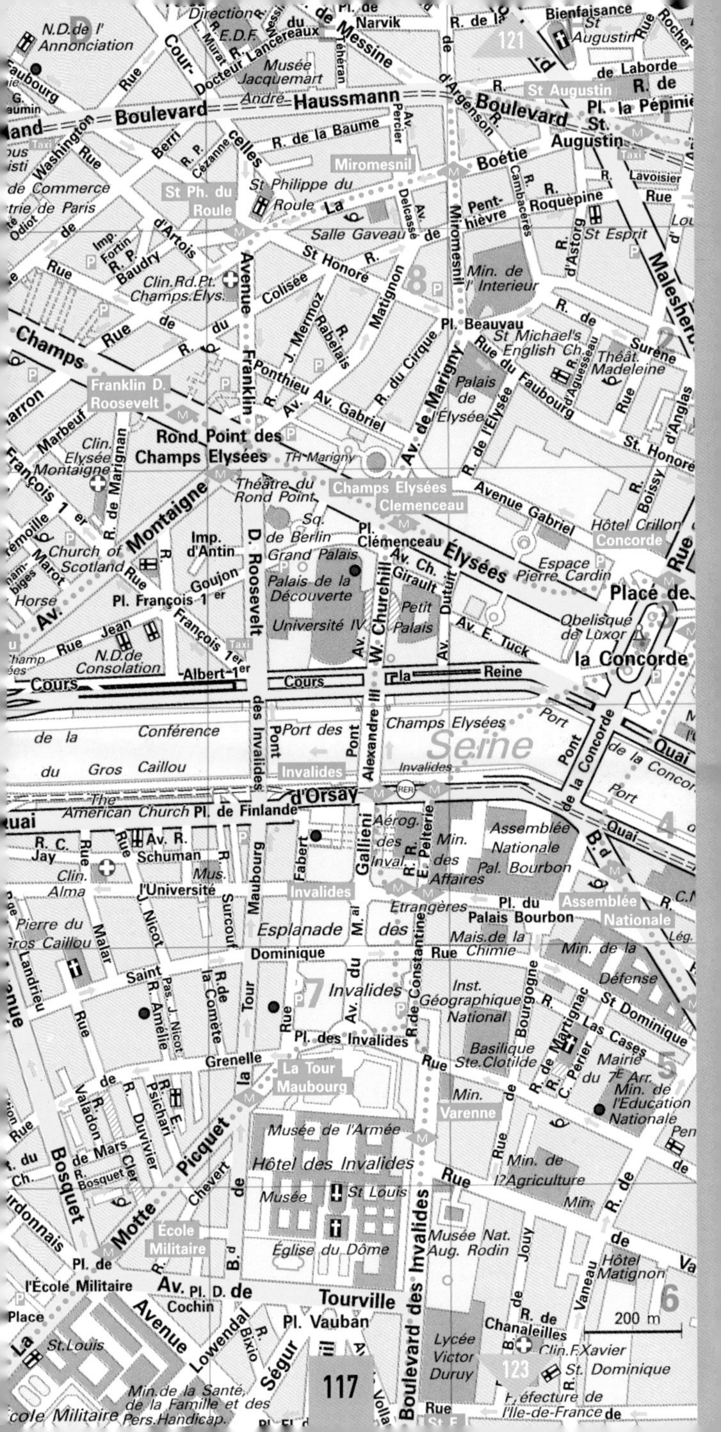

N.D. de l'Annonciation
Direction E.D.F.
Musée Jacquemart André
Boulevard Haussmann
Rue de Messine
Pl. de Narvik
R. de la Baume
Miromesnil
St Augustin
Bienfaisance
Rue du Rocher
Rue de Laborde
Pl. St. Augustin
R. de la Pépinière
Boulevard Malesherbes
Lavoisier
Rue La Boétie
Washington
Berri
R. P. Cézanne
Rue de Courcelles
St Philippe du Roule
St Ph. du Roule
Salle Gaveau
Av. Delcassé
Rue de Miromesnil
R. de Penthièvre
R. Cambacérès
R. Roquépine
R. d'Astorg
St Esprit
Rue d'Artois
Imp. Fortin
R. P. Baudry
Clin. Rd. Pt. Champs. Elys.
Rue de Ponthieu
Colisée
Rue du Faubourg St Honoré
Matignon
Min. de l'Interieur
R. J. Mermoz
R. Rabelais
Pl. Beauvau
St Michael's English Ch.
Théât. Madeleine
R. de Surène
R. d'Aguesseau
Rue d'Anglas
Champs Elysées
Franklin D. Roosevelt
Avenue Franklin D. Roosevelt
R. du Cirque
Av. Gabriel
Av. de Marigny
Palais de l'Élysée
R. de l'Élysée
Marbeuf
Rond Point des Champs Elysées
TH Marigny
Théâtre du Rond Point
Champs Elysées Clemenceau
Avenue Gabriel
R. Boissy d'Anglas
Clin. Elysée Montaigne
R. de Marignan
Avenue Montaigne
Imp. d'Antin
Sq. de Berlin
Pl. Clémenceau
Grand Palais
Hôtel Crillon
Concorde
Espace Pierre Cardin
Church of Scotland
Rue Jean Goujon
Palais de la Découverte
Av. Ch. Girault
Av. Dutuit
Petit Palais
Place de la Concorde
Obelisque de Luxor
Pl. François 1er
Rue François 1er
Université IV
Av. W. Churchill
Av. E. Tuck
N.D. de Consolation
Cours Albert 1er
Cours la Reine
Port de la Conférence
Port du Gros Caillou
Pont des Invalides
Port des Champs Elysées
Pont Alexandre III
Seine
Pont de la Concorde
Quai de la Concorde
Port des Invalides
Quai d'Orsay
The American Church
Pl. de Finlande
Invalides
RER
Av. R. Schuman
R. C. Jay
Clin. Alma
Mus.
Rue de l'Université
R. Fabert
Aérog. des Inval.
R. E. Pelterie
R. Surcouf
Maubourg
Gallieni
Min. des Affaires Etrangères
Assemblée Nationale
Pal. Bourbon
Pl. du Palais Bourbon
Pierre du Gros Caillou
Malar
J. Nicot
Esplanade des Invalides
Rue Dominique
Mais. de la Chimie
Min. de la Défense
Rue St Dominique
Landrieu
Saint
R. Amélie
Pas. J. Nicot
R. de la Comète
Rue de la Tour Maubourg
Av. du Maréchal
Invalides
R. de Constantine
Inst. Géographique National
Rue de Bourgogne
R. de Martignac
Las Cases
Basilique Ste. Clotilde
Mairie du 7E Arr.
Min. de l'Education Nationale
Pl. des Invalides
Rue de Grenelle
La Tour Maubourg
R. Valadon
R. Psichari
R. E. Duvivier
Min. Varenne
R. C. Perier
Av. Bosquet
R. du Ch. de Mars
R. Bosquet
R. Cler
Av. de La Motte Picquet
Chevert
Musée de l'Armée
Hôtel des Invalides
Musée
St Louis
Rue de Varenne
Min. de l'Agriculture
R. de Bourdonnais
École Militaire
Église du Dôme
Musée Nat. Aug. Rodin
Jouy
Hôtel Matignon
Rue Vaneau
Pl. de l'École Militaire
Av. de Tourville
Pl. D. Cochin
B.d de la Tour Maubourg
Boulevard des Invalides
200 m
Place
Avenue Lowendal
R. Bixio
Pl. Vauban
Ségur
R. de Chanaleilles
Lycée Victor Duruy
Clin. F. Xavier
St. Dominique
St. Louis
La
Min. de la Santé, de la Famille et des Pers. Handicap.
Ecole Militaire
Préfecture de l'Ile-de-France
121
123
8
7
Taxi

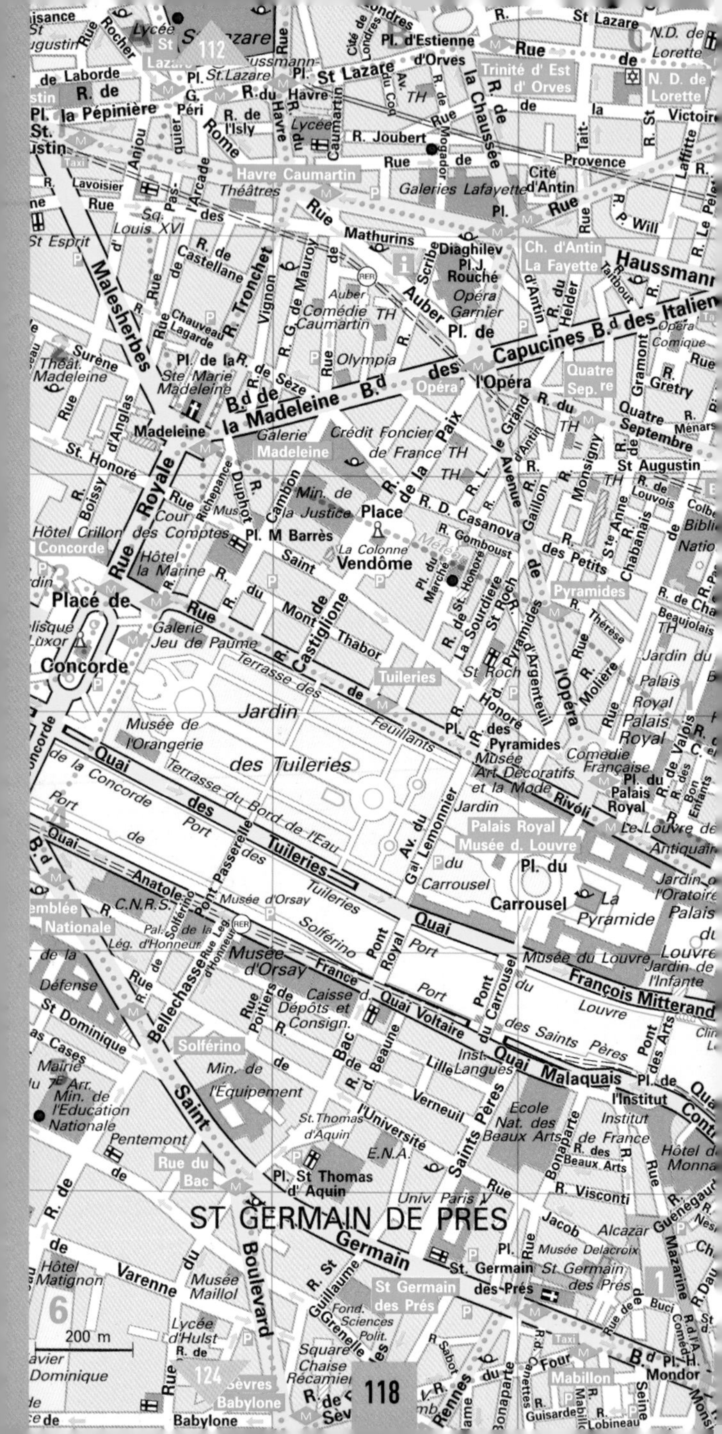
112
Lycée
St Lazare
Pl. St Lazare
Rue St Lazare
Pl. d'Estienne d'Orves
Trinité d' Est d' Orves
N. D. de Lorette
Rue de Laborde
R. de la Pépinière
Rue du Rocher
R. de Rome
R. du Havre
R. de l'Isly
Lycée Caumartin
R. Joubert
Rue de Provence
Cité d'Antin
Rue de Mogador
R. de la Chaussée d'Antin
Rue Taitbout
R. St Lazare
Victoire
Laffitte
Havre Caumartin
Théâtres
Galeries Lafayette
Lavoisier
Rue d'Anjou
Sq. Louis XVI
St Esprit
Pas. de l'Arcade
Rue des Mathurins
Diaghilev
Pl. J. Rouché
Opéra Garnier
R. P. Will
Ch. d'Antin La Fayette
Haussmann
R. de Castellane
R. Tronchet
Vignon
R. G. de Mauroy
Auber
Comédie Caumartin
R. Auber
Pl. de l'Opéra
Bd des Capucines
Bd des Italiens
Opéra Comique
Malesherbes
Rue Chauveau Lagarde
Pl. de la Ste Marie Madeleine
R. de Sèze
Olympia
Opéra
Quatre Sep. re
R. Gretry
Rue Gramont
Surène
Théât. Madeleine
Bd de la Madeleine
Bd des Capucines
R. du Quatre Septembre
Madeleine
Galerie Madeleine
Crédit Foncier de France
R. de la Paix
Avenue de l'Opéra
R. Monsigny
St Augustin
St. Honoré
Rue Royale
R. Boissy d'Anglas
Rue Richepance
R. Duphot
R. Cambon
Min. de la Justice
Place Vendôme
La Colonne
R. D. Casanova
R. Gomboust
R. de Louvois
Hôtel Crillon
Cour des Comptes
Pl. M Barrès
Concorde
Hôtel la Marine
Rue Saint Honoré
Pl. du Marché St. Honoré
R. des Petits Champs
R. Ste Anne
Chabanais
Pyramides
Placé de Concorde
Obélisque Luxor
R. du Mont Thabor
R. de Castiglione
R. de la Sourdière
St Roch
R. des Pyramides
R. d'Argenteuil
Rue Thérèse
Rue Molière
Beaujolais
Rue de Rivoli
Galerie Jeu de Paume
Terrasse des Feuillants
Jardin des Tuileries
Tuileries
Jardin du Palais Royal
Musée de l'Orangerie
Pl. des Pyramides
Musée Art Décoratifs et la Mode
Comédie Française
Pl. du Palais Royal
R. de Valois
Bons Enfants
Quai de la Concorde
Port de la Concorde
Terrasse du Bord de l'Eau
Quai des Tuileries
Av. du Gal Lemonnier
Jardin du Carrousel
Palais Royal Musée d. Louvre
Le Louvre des Antiquaires
Jardin de l'Oratoire
Port des Tuileries
Quai Anatole France
Pont Passerelle Solférino
Musée d'Orsay
C.N.R.S.
Pl. du Carrousel
La Pyramide
Palais du Louvre
Assemblée Nationale
Pal. de la Lég. d'Honneur
Rue de la Légion d'Honneur
Port Solférino
Pont Royal
Quai François Mitterrand
Musée du Louvre
Jardin de l'Infante
Rue de la Défense
R. de Bellechasse
Rue de Poitiers
Caisse d. Dépôts et Consign.
Port du Louvre
Quai Voltaire
Pont du Carrousel
Port des Saints Pères
Pont des Arts
St Dominique
Cases
Mairie du 7e Arr.
Solférino
Min. de l'Équipement
Rue du Bac
R. de Beaune
Inst. Langues
Rue de Lille
Quai Malaquais
Pl. de l'Institut
Quai de Conti
Min. de l'Éducation Nationale
Pentemont
R. de Verneuil
St. Thomas d'Aquin
Rue de l'Université
E.N.A.
R. des Saints Pères
École Nat. des Beaux Arts
Institut de France
R. des Beaux Arts
Rue Bonaparte
Hôtel de la Monnaie
Rue du Bac
Pl. St Thomas d'Aquin
Univ. Paris V
Rue Jacob
R. Visconti
Alcazar
Guénégaud
ST GERMAIN DE PRÉS
Boulevard Saint Germain
Rue de Grenelle
R. de Varenne
Hôtel Matignon
Musée Maillol
Musée Delacroix
Pl. St Germain des Prés
St Germain des Prés
Mazarine
R. Dauphine
R. St Guillaume
Fond. Sciences Polit.
Rue de Buci
Taxi
Lycée d'Hulst
Square Chaise Récamier
R. de Sèvres
Rue de Rennes
R. Sabot
R. du Four
R. des Canettes
Mabillon
Bd St Germain
Pl. H. Mondor
R. de Seine
124
Sèvres Babylone
Rue de Babylone
R. Guisarde
R. Lobineau
200 m
1
2
3
4
6

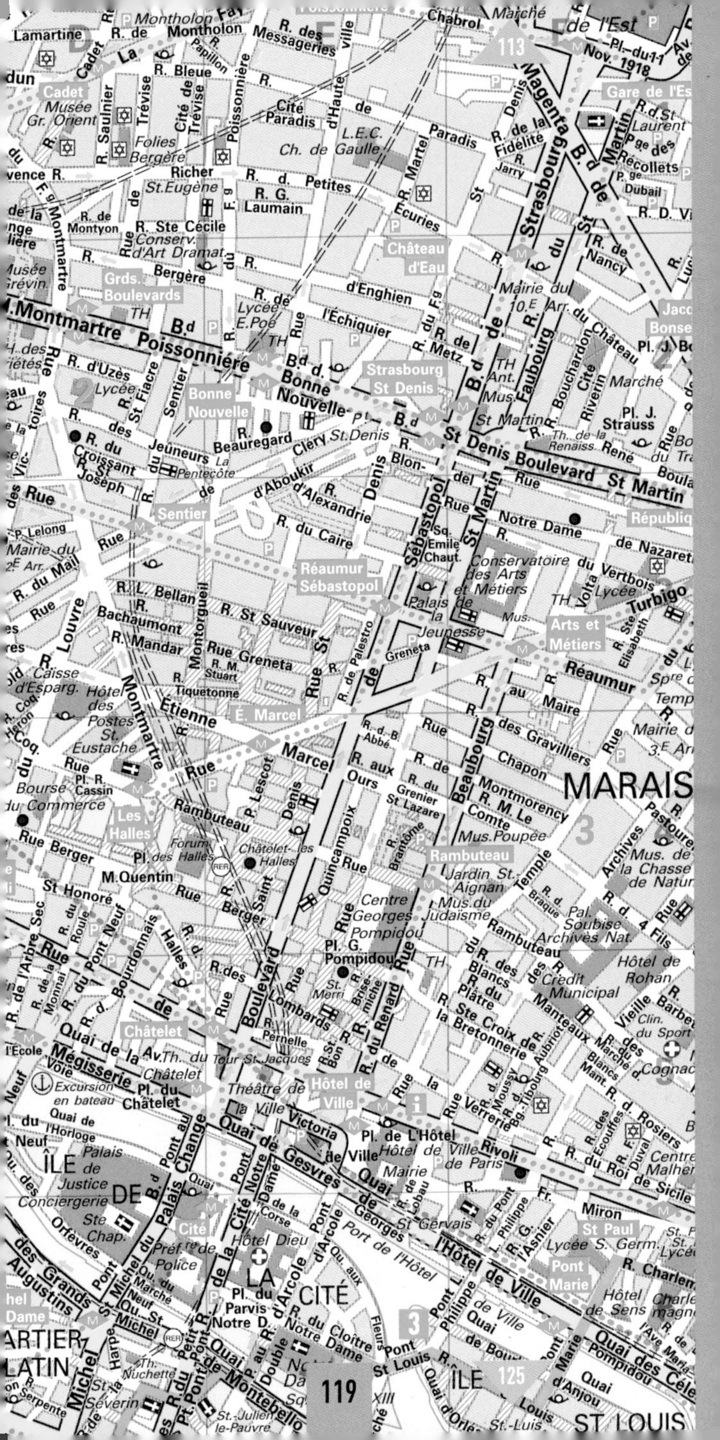

113
Chabrol
Marché
de l'Est
Pl. du 11 Nov. 1918
Lamartine
R. de Montholon
R. des Messageries
Papillon
R. Bleue
Cadet
Musée Gr. Orient
R. Saulnier
Trévise
Cité de Trévise
Poissonnière
R. d'Hauteville
Cité Paradis
L.E.C. Ch. de Gaulle
Paradis
R. de la Fidélité
Magenta
Gare de l'Est
R. d. St Laurent
P. ge des Récollets
Dubail
Folies Bergère
Richer
St.Eugène
R. d. Petites Écuries
R. G. Laumain
R. Martel
Jarry
Strasbourg
B.d de
Martin
R. de Montyon
R. Ste Cécile
Conserv. d'Art Dramat.
R. Bergère
Musée Grévin
Château d'Eau
R. de Nancy
Grds. Boulevards
Montmartre
R. d'Enghien
Mairie du 10.E Arr.
R. du Château
Jacq. Bonsergent
Lycée E.Poë
R. de l'Échiquier
R. de Metz
B.d Montmartre
B.d Poissonnière
Bd d. Bonne Nouvelle
Strasbourg St Denis
TH Ant.
Mus. St Martin
Faubourg
Bouchardon
Cité Riverin
Marché
Pl. J. Bonsergent
R. d'Uzès
Lycée
R. St Fiacre
Sentier
Bonne Nouvelle
R. Beauregard
Cléry
St.Denis
B.d St Denis
Boulevard St Martin
Th. de la Renaiss.
Pl. J. Strauss
R. René Boulanger
R. du Croissant
R. St Joseph
R. des Jeûneurs
La Pentecôte
d'Aboukir
R. d'Alexandrie
R. Blondel
Rue
Notre Dame de Nazareth
République
P. Lelong
Mairie du 2.E Arr.
R. du Mail
Sentier
R. du Caire
Sébastopol
Sq. Emile Chaut.
Conservatoire des Arts et Métiers
du Vertbois
Lycée
Volta
Turbigo
Réaumur Sébastopol
Palais de la Jeunesse
R. L. Bellan
R. Bachaumont
R. Mandar
Montorgueil
R. St Sauveur
Rue Greneta
R. de Palestro
Greneta
Mus.
Arts et Métiers
R. Ste Elisabeth
Louvre
R. M. Stuart
R. Tiquetonne
Étienne Marcel
É. Marcel
Rue St Denis
Réaumur
R. au Maire
Caisse d'Esparg.
Hôtel des Postes
St. Eustache
Coq. Héron
R. d. B. Abbé
R. des Gravilliers
Chapon
Mairie du 3.E Arr.
Rue du Bourse
Pl. R. Cassin
du Commerce
Rue Rambuteau
P. Lescot
R. aux Ours
R. du Grenier St Lazare
Beaubourg
Montmorency
R. M. Le Comte
MARAIS
R. Pastourelle
Les Halles
Rue Berger
Forum des Halles
Pl. des Halles
Châtelet-les Halles
Quincampoix
R. Brantôme
Rambuteau
Mus. Poupée
Archives
Mus. de la Chasse et de la Nature
M.Quentin
St Honoré
R. du Roule
Pont Neuf
Bourdonnais
Halles
Rue Berger
Boulevard
Saint
Centre Georges Pompidou
Pl. G. Pompidou
Jardin St. Aignan
Mus. du Judaïsme
Temple
R. Braque
Pal. Soubise
Archives Nat.
R. d. 4 Fils
Hôtel de Rohan
R. de l'Arbre Sec
R. de la Monnaie
Rue de Rivoli
R. des Lombards
St. Merri
Brisemiche
R. du Renard
R. des Blancs Manteaux
R. du Plâtre
Ste Croix de la Bretonnerie
Crédit Municipal
Vieille du Temple
Clin. du Sport
Châtelet
Quai de la Mégisserie
Av. Victoria
Th. du Tour St. Jacques
R. St. Bon
R. Pernelle
Hôtel de Ville
R. de la Verrerie
R. Moussy
R. d. Bg. Tibourg
Aubriot
Marché des Blancs Mant.
R. des Rosiers
R. des Écouffes
R. F. Duval
Cognac
Voie
Excursion en bateau
Pl. du Châtelet
Théâtre de la Ville
Quai de l'Horloge
Pont au Change
Quai de Gesvres
Pl. de L'Hôtel de Ville
Hôtel de Ville de Paris
Mairie
R. de Lobau
Rivoli
R. du Roi de Sicile
Centre Malher
ÎLE DE LA CITÉ
Palais de Justice
Conciergerie
Ste Chap.
B.d du Palais
Quai
Pont Notre Dame
R. de la Corse
Pont d'Arcole
Port de l'Hôtel de Ville
Quai de l'Hôtel de Ville
St Gervais
R. du Pont L. Philippe
R. G. l'Asnier
R. Fr. Miron
St Paul
Lycée S. Germ.
R. Charlemagne
Pont Marie
Hôtel de Sens
Hôtel Charlemagne
Quai des Célestins
Pompidou
Orfèvres
Cité
Préf. re de Police
Hôtel Dieu
Pont St Michel
Qu. du Marché Neuf
Qu. St Michel
Pl. du Parvis Notre D.
R. d'Arcole
R. du Cloître Notre Dame
Qu. aux Fleurs
Pont Louis Philippe
Quai de Bourbon
Pont Marie
Quai d'Anjou
des Grands Augustins
QUARTIER LATIN
St Michel
la Harpe
Th. Nuchette
Petit Pont
Quai de Montebello
Pt. au Double
St. Séverin
St.-Julien-le-Pauvre
R. de la Serpente
Notre Dame
Sq. Jean XXIII
Pont St Louis
ÎLE ST LOUIS
Quai d'Orléans
St-Luis
125
119

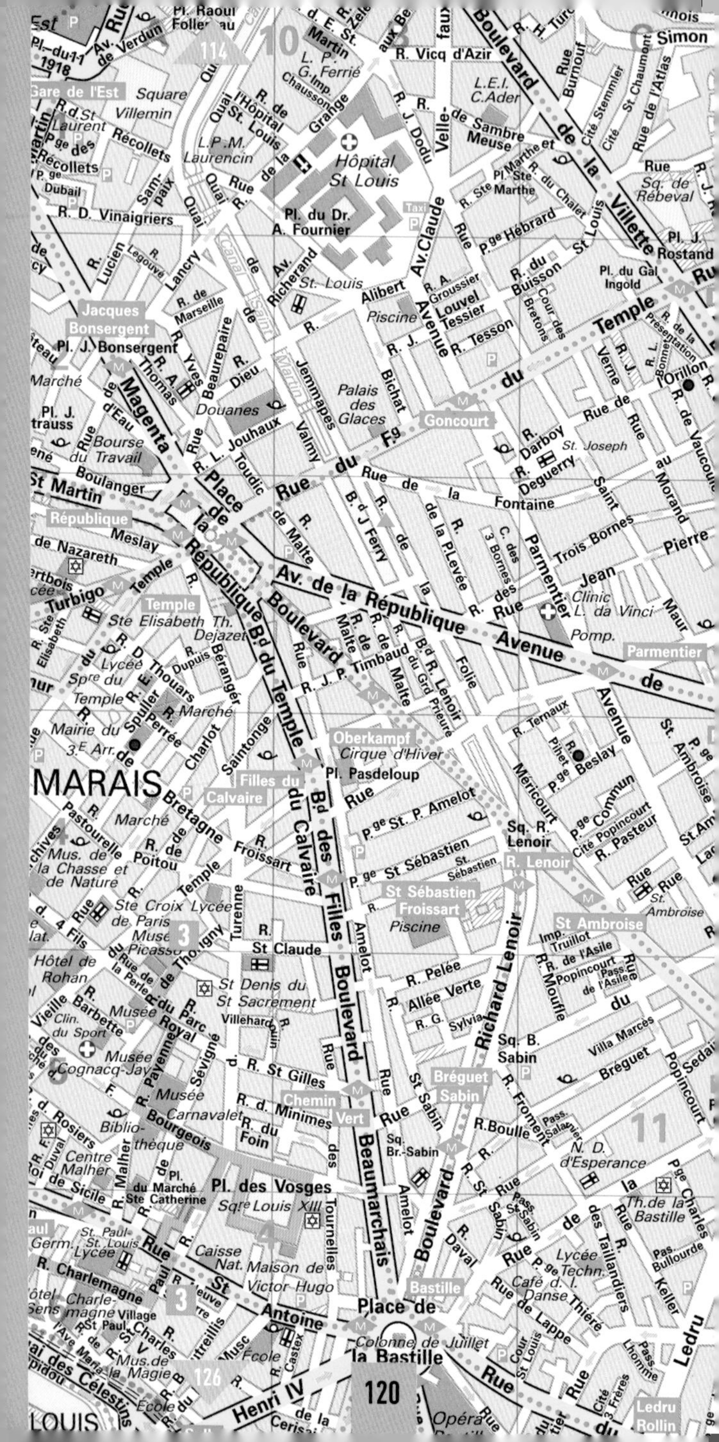
114
10
8
9
11
126
3
4
5
Gare de l'Est
Pl. du 11 Nov. 1918
Av. de Verdun
Pl. Raoul Follereau
Square Villemin
R. des Récollets
P. ge des Récollets
R. d. St Laurent
P. ge Dubail
R. D. Vinaigriers
Quai de Valmy
Quai de Jemmapes
Canal Saint Martin
L.P.M. Laurencin
Quai de l'Hôpital St. Louis
R. de la Grange aux Belles
L. P. G. Ferrié
Imp. Chausson
R. E. Martin
R. Vicq d'Azir
Hôpital St Louis
Pl. du Dr. A. Fournier
Av. Richerand
St. Louis
Av. Claude Vellefaux
R. J. Dodu
R. de Sambre et Meuse
L.E.I. C.Ader
Boulevard de la Villette
Rue Burnouf
Cité Stemmler
Cité St. Chaumont
Rue de l'Atlas
Rue Simon
Sq. de Rébeval
Pl. Ste Marthe
R. Ste Marthe
R. du Chalet
Rue St Louis
P.ge Hébrard
Pl. J. Rostand
Pl. du Gal Ingold
R. du Buisson St Louis
Cour des Bretons
R. Alibert
Piscine
Avenue Parmentier
R. A. Groussier
Louvel Tessier
R. Tesson
R. J. Bichat
Taxi
R. Lucien Legouvé
R. Lancry
R. de Marseille
Jacques Bonsergent
Pl. J. Bonsergent
R. A. Thomas
R. Yves Toudic
R. Beaurepaire
R. Dieu
Douanes
Rue Jemmapes
Palais des Glaces
Goncourt
Rue du Fg. du Temple
Rue de la Présentation
Rue Bonne
R. J. Verne
l'Orillon
R. de Vaucouleurs
Rue Darboy
R. Deguerry
St. Joseph
Rue de la Fontaine au Roi
Rue Saint Maur
Rue Morand
Trois Bornes
Jean Pierre Timbaud
Marché
Pl. J. Strauss
Rue du Château d'Eau
Bd Magenta
Bourse du Travail
R. L. Jouhaux
Rue Boulanger
R. St Martin
République
Place de la République
R. de Malte
B.d J Ferry
R. de la Pl.Levée
C. des 3 Bornes
Rue des Trois Bornes
Clinic L. da Vinci
Pomp.
Av. de la République
Avenue de la République
Parmentier
R. de Nazareth
R. Meslay
R. Turbigo
R. du Temple
Temple
R. Ste Elisabeth
Ste Elisabeth
Th. Dejazet
R. Dupuis
R. Béranger
Bd du Temple
Boulevard du Temple
R. J. P. Timbaud
Bd du Grd Prieuré
R. Lenoir
Rue Folie Méricourt
R. Ternaux
P. ge Pihet
R. Beslay
Avenue Parmentier
St. Ambroise
P. ge St Ambroise
Lycée
Sp.re du Temple
R. D Thouars
R. E. Spuller
R. Perrée
R. du Marché
Mairie du 3.E Arr.
R. Charlot
R. de Saintonge
Oberkampf
Cirque d'Hiver
Pl. Pasdeloup
MARAIS
R. de Bretagne
Filles du Calvaire
Bd des Filles du Calvaire
Rue Amelot
P.ge St. P. Amelot
Sq. R. Lenoir
P.ge Commun
Cité Popincourt
R. Pasteur
R. Pastourelle
Marché
R. de Poitou
R. Froissart
P. ge St Sébastien
St. Sébastien
R. Lenoir
St Sébastien Froissart
Piscine
St Ambroise
Imp. Truillot
R. de l'Asile Popincourt
Pass. de l'Asile
Archives
Mus. de la Chasse et de Nature
Rue Vieille du Temple
Ste Croix de Paris
Lycée
Musée Picasso
R. de Turenne
R. St Claude
R. de Thorigny
R. de la Perle
R. des 4 Fils
Hôtel de Rohan
St Denis du St Sacrement
Villehardouin
R. Pelée
Allée Verte
R. G. Sylvia
Bd Richard Lenoir
R. Moufle
Rue du Chemin Vert
Villa Marcès
R. Bréguet
Rue Popincourt
R. Sedaine
R. Barbette
Clin. du Sport
Musée Cognacq-Jay
Musée
R. du Parc Royal
R. Payenne
R. de Sévigné
R. St Gilles
Musée Carnavalet
R. d. Minimes
R. du Foin
Chemin Vert
Rue St Sabin
Sq. B. Sabin
Bréguet Sabin
R. Froment
R. Boulle
Pass. Salarnier
N. D. d'Espérance
R. des Rosiers
R. F. Duval
R. Malher
Centre Malher
Biblio-thèque
R. des Francs Bourgeois
Pl. du Marché Ste Catherine
Pl. des Vosges
Sq.re Louis XIII
R. des Tournelles
Boulevard Beaumarchais
Sq. Br.-Sabin
Boulevard Richard Lenoir
R. Daval
Pass. St Sabin
Rue de la Roquette
Th. de la Bastille
P.ge Charles Dallery
Rue des Taillandiers
Pas. Bullourde
R. Keller
Rue de Sicile
St. Paul
St. Paul-St. Louis
Lycée
R. Charlemagne
Hôtel de Sens
Lycée Charlemagne
Village St Paul
Rue St Antoine
R. de Jouy
R. Beautreillis
Caisse Nat. Maison de Victor Hugo
Bastille
Place de la Bastille
Colonne de Juillet
Rue Lycée Techn.
P.ge Thiéré
Café d. l. Danse
Rue de Lappe
Cour St Louis
Cité 3 Frères
Pass. Lhomme
Ledru Rollin
Ledru
R. de l'Ave Maria
Mus. de la Magie
Quai des Célestins
École
R. du Petit Musc
École
R. Castex
Bd Henri IV
Cerisaie
Opéra Bastille
Rue de Charenton
LOUIS

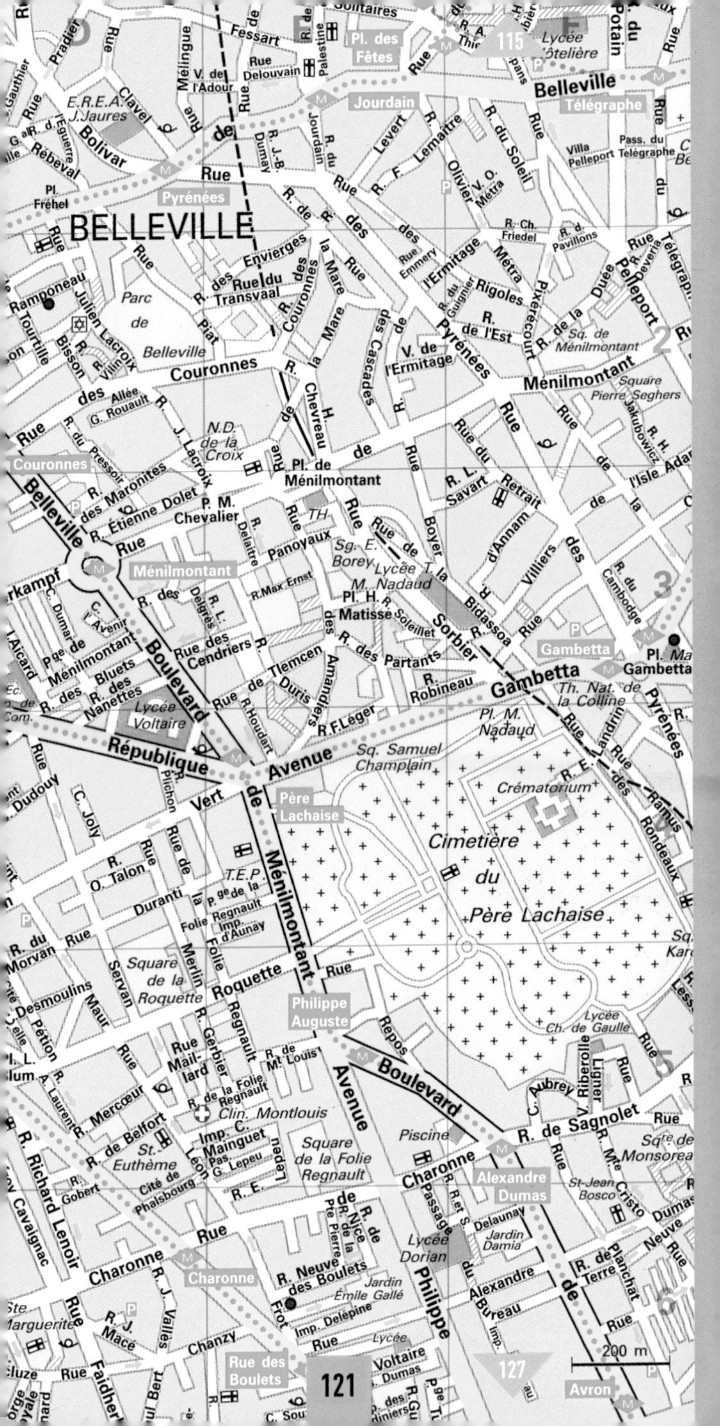
BELLEVILLE
Pl. des Fêtes
Jourdain
Belleville
Télégraphe
Pyrénées
Rue de Belleville
Parc de Belleville
Rue des Couronnes
Couronnes
Ménilmontant
Pl. de Ménilmontant
Rue de Ménilmontant
Rue des Pyrénées
Rue des Rigoles
Gambetta
Av. Gambetta
Pl. Gambetta
Th. Nat. de la Colline
Boulevard de Belleville
Boulevard de Ménilmontant
Avenue de la République
Père Lachaise
Sq. Samuel Champlain
Crématorium
Cimetière du Père Lachaise
Lycée Voltaire
Rue de la Roquette
Square de la Roquette
Philippe Auguste
Avenue Philippe Auguste
Boulevard de Charonne
Rue de Charonne
Charonne
Alexandre Dumas
R. de Sagnolet
Square de la Folie Regnault
Clin. Montlouis
Rue des Boulets
Rue Alexandre Dumas
R. Neuve des Boulets
Jardin Émile Gallé
Lycée Dorian
Jardin Damia
Bd. Voltaire
Avron
Rue Faidherbe
R. Richard Lenoir
115
127
200 m

116
Place de Brazzaville
Quai de
Port
Sq. Pablo Casals
Place St Charles
Piscine
L. P. Beaugrenelle
Musée Kwok On
N.D. de Grace
Pl. M. Cerdan
Dupleix
Place Dupleix
Rue Dupleix
Villa Suisse
St Léon
Av. de Suffren
La Mot Picqu Grene
R. Juge
R. Fallempin
R. Tiphaine
R. L.T.I. Nadaud
Lycée Tech.
Av. É. Zola
Commerce
Frémicourt
Charles Michels
Av. Émile Zola
Pl. Ch. Michels
Rue du Théâtre
Place du Commerce
Commerce
Ste-Nina
Pl. Violet
Sq^re Violet
Rue des Entrepreneurs
GRENELLE
Lycée
R. L. Lhermitte
Square St Lambert
Pl. Hubert
Monmarché
Félix Faure
Av. F. Faure
Boucicault
15
Rue de la Croix Nivert
Clinic St.Jean de Dieu
Rue Lecourbe
Lourmel
Cim. de Vaugirard
Jardin Pavois
Lycée Tech. Louis Armand
Convention
St Félicité
Pl. H. Rollet
Rue Desnouettes
Hôpital Vaugirard G. Pallez
Hôpital St Michel
Rue de Vaugirard
Porte d'Issy les Moulineaux
École
Palais des Sports
Paris Expo
P^te de Versailles
Boulevard Victor
Boulevard Lefebvre
Objets Trouvés
Four Municipale
Parc Georges Brassens
Théâtre Silvia Monfort
P^te de Plaisance
Sq. des Périchaux
Sq. du Dr. Calmette
Paris des Expositions
Av. de l'Industrie
Sq. des Varennes
Porte de la Plaine
122
Piscine

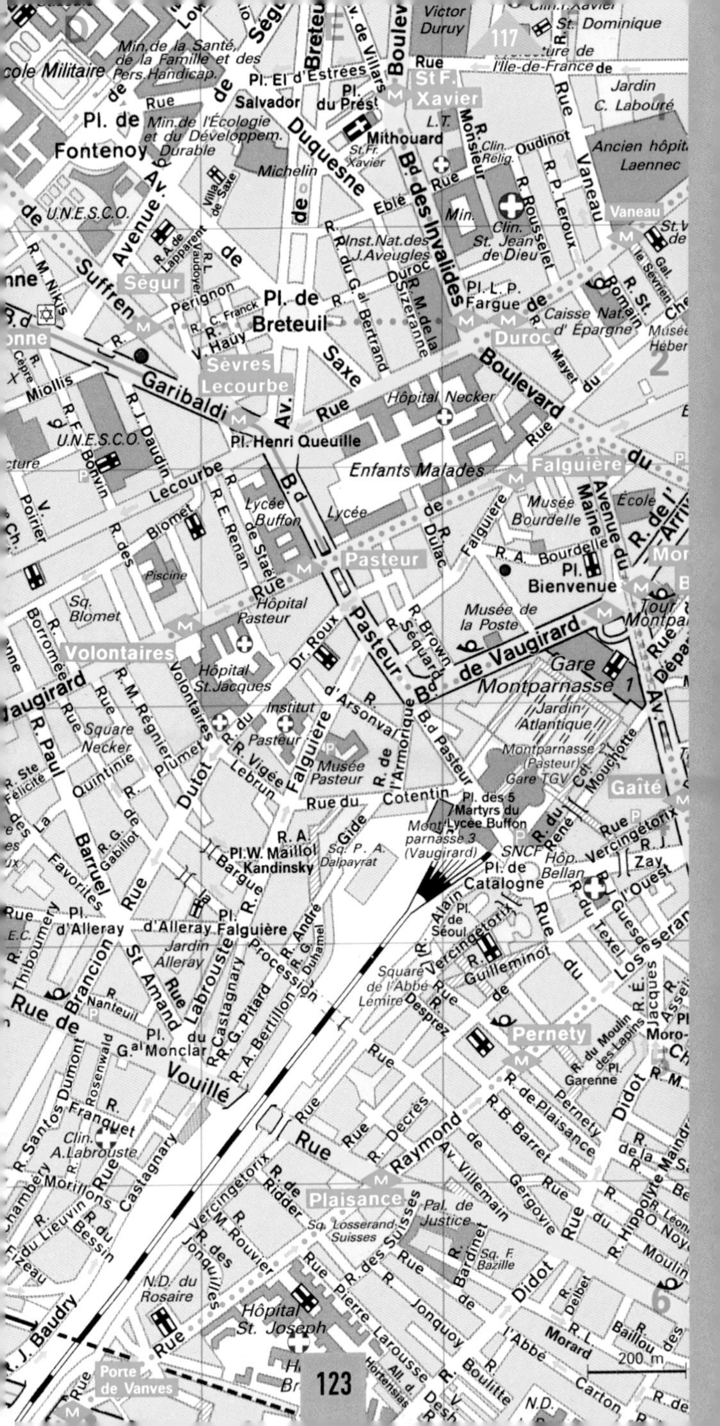
117
Min. de la Santé, de la Famille et des Pers. Handicap.
École Militaire
Pl. El d'Estrées
St F. Xavier
Victor Duruy
St. Dominique
Rue de l'Ile-de-France
Jardin C. Labouré
Ancien hôpital Laennec
Pl. de Fontenoy
Min. de l'Écologie et du Développem. Durable
Salvador
Pl. du Prést
Mithouard
St. Fr. Xavier
Duquesne
Michelin
Bd des Invalides
R. Monsieur
Clin. Relig.
Oudinot
R. P. Leroux
Vaneau
R. Rousselet
Clin. St. Jean de Dieu
U.N.E.S.C.O.
Avenue de Suffren
Villa de Saxe
Ségur
Inst. Nat. des J. Aveugles
R. du G.al Bertrand
Duroc
R. M. de la Sizeranne
Pl. L. P. Fargue
Caisse Nat. d'Épargne
Musée Hébert
R. Romain
Pl. de Breteuil
Perignon
R. C. Franck
R. V. Haüy
Sèvres Lecourbe
Saxe
Boulevard du Montparnasse
R. Mayet
Miollis
R. Cépré
Garibaldi
R. J. Daudin
R. F. Bonvin
Hôpital Necker
Enfants Malades
Pl. Henri Queuille
Falguière
Lecourbe
Blomet
R. E. Renan
Lycée Buffon
Lycée
R. de Staël
Bd Pasteur
Pasteur
R. Dulac
Musée Bourdelle
École
Avenue du Maine
R. A. Bourdelle
Pl. Bienvenue
Tour Montparnasse
Rue du Départ
Piscine
Sq. Blomet
Rue Hôpital Pasteur
Volontaires
Hôpital St. Jacques
R. Borromée
Dr. Roux
R. Séguard
R. Brown
Musée de la Poste
Bd de Vaugirard
Gare Montparnasse 1
Jardin Atlantique
Montparnasse 2 (Pasteur) Gare TGV
Cdt. Mouchotte
Gaîté
Vaugirard
R. Paul
R. M. Régnier
Square Necker
Institut Pasteur
R. d'Arsonval
Falguière
R. de l'Armorique
B.d Pasteur
Plumet
Dutot
R. Vigée Lebrun
Musée Pasteur
Rue du Cotentin
Pl. des 5 Martyrs du Lycée Buffon
Montparnasse 3 (Vaugirard)
R. du Cdt. René Mouchotte
Quintinie
R. Ste Félicité
Barruel
R. G. Gabillot
R. A. Gide
Pl. W. Maillol Kandinsky
Sq. P. A. Dalpayrat
SNCF
Pl. de Catalogne
Rue Vercingétorix
Hôp. Bellan
Zay
R. de l'Ouest
Favorites
Rue Bargue
Pl. d'Alleray
Pl. Falguière
Jardin Alleray
R. Thiboumery
Brancion
St Amand
Labrouste
Procession
R. André
R. G. Duhamel
R. Alain
Pl. de Séoul
Guilleminot
R. du Texel
Guesde
Rue du Château
R. Castagnary
R. G. Pitard
R. A. Bertillon
Square de l'Abbé Lemire
R. Desprez
Rue de Vouillé
R. Nanteuil
Pl. G.al Monclar
Pernety
R. du Moulin des Lapins
Pl. Garenne
Didot
R. Santos Dumont
Rosenwald
R. Franquet
Clin. A. Labrouste
Rue Castagnary
R. Decrès
Rue Raymond Losserand
Av. Villemain
R. de Plaisance
R. B. Barret
Rue de Gergovie
R. Hippolyte Maindron
R. Chambéry
R. Morillons
Lieuvin
R. du Bessin
Vercingétorix
R. de Ridder
Plaisance
Pal. de Justice
Sq. Losserand Suisses
Rue Bardinet
Sq. F. Bazille
Rue Didot
R. O. Noyer
R. Fizeau
R. M. Rouvier
R. des Jonquilles
R. des Suisses
R. Delbet
R. L. Morard
R. Baillou
N.D. du Rosaire
Hôpital St. Joseph
Rue Pierre Larousse
R. Jonquoy
Rue de l'Abbé Carton
R. J. Baudry
Porte de Vanves
All. d. Hortensias
R. Boulitte
200 m
123

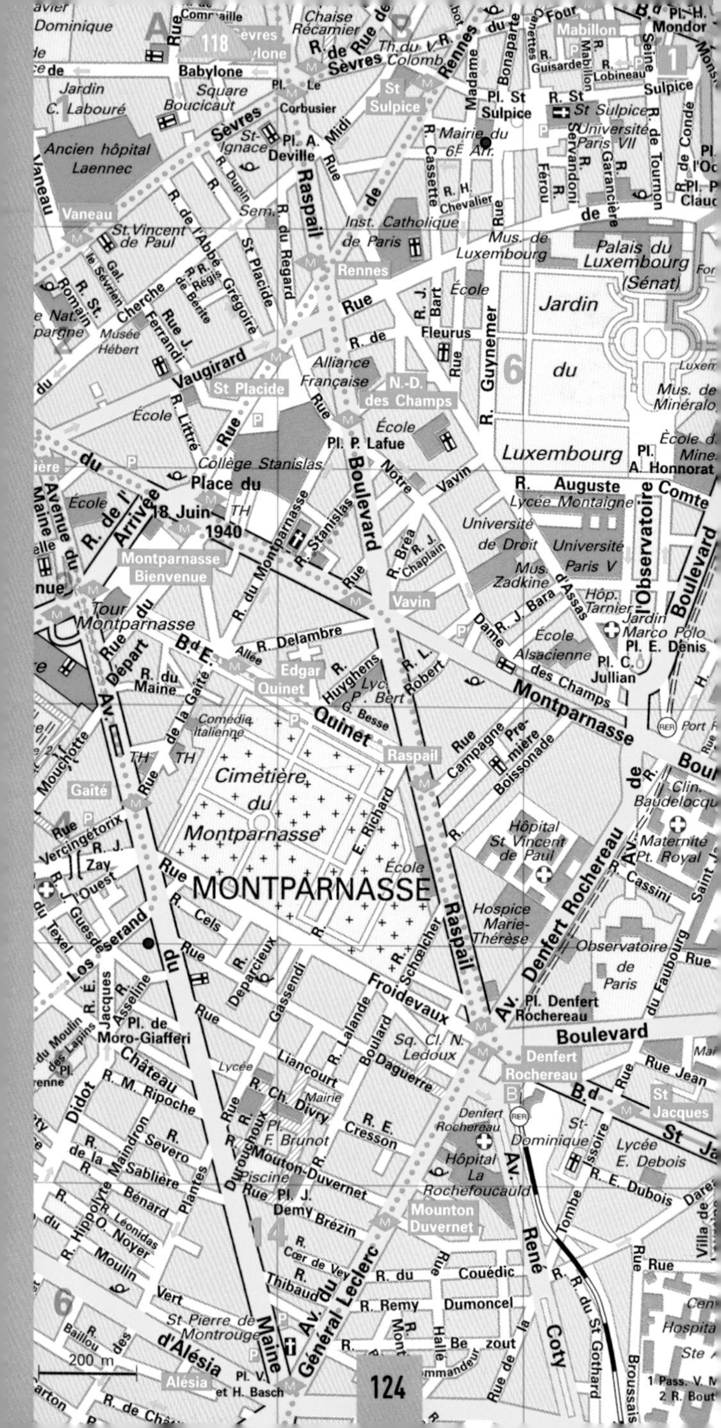
MONTPARNASSE
Cimetière du Montparnasse
Jardin du Luxembourg
Palais du Luxembourg (Sénat)
Tour Montparnasse
Montparnasse Bienvenue
Place du 18 Juin 1940
Boulevard Raspail
Boulevard du Montparnasse
Bd E. Quinet
Av. du Maine
Av. Denfert Rochereau
Av. du Général Leclerc
Observatoire de Paris
Hôpital St Vincent de Paul
Hôpital La Rochefoucauld
Ancien hôpital Laennec
Inst. Catholique de Paris
Collège Stanislas
Alliance Française
Université de Droit
Université Paris V
Lycée Montaigne
Pl. Denfert Rochereau
Rue de Vaugirard
Rue de Rennes
Rue de Sèvres
Rue Froidevaux
Rue d'Alésia
Sèvres Babylone
St Sulpice
Rennes
St Placide
N.-D. des Champs
Vavin
Edgar Quinet
Raspail
Gaîté
Denfert Rochereau
Mouton Duvernet
Alésia
St Jacques
Vaneau
200 m
118

ATIN
ILE
ST LOUIS
119
3
Notre Dame
Sq. Jean XXIII
St Louis
Quai d'Orléans
Quai d'Anjou
St.-Luis en l'Île
Hôtel Lambert
Quai de Béthune
Pont de la Tournelle
Quai de la Tournelle
Port de la Tournelle
Pont de Sully
B.d Sully
Port
Musée de la Sculpture
Quai Saint Bernard
Institut du Monde Arabe
Quai de Montebello
Pont de l'Archevêché
Port de la
R. de Bièvre
Musée
R. de Pontoise
R. de Poissy
Maubert Mutualité
Pl. Maubert
St Julien le Pauvre
R. du Pt. Pont
R. Dante
R. St Jacques
St. Séverin
R. de la Serpente
Th. Huchette
Saint Germain
Musée de Cluny
Rue du Sommerard
École
R. Latran
R. de
R. des Bernardins
Rue de la Sorbonne
Rue Saint Jacques
Universités Paris IV
Sorbonne
Pl. M. Berthelot
Collège de France
Lycée Louis le Grand
Collège
R. Cujas
R. V. Cousin
R. Soufflot
R. Malebranche
Place du Panthéon
Mairie du 5E Arr.
Panthéon
R. des Écoles
Ste Geneviève
R. de la Montagne
R. Valette
Musée
Pal. Mutualité
Paradis Latin
R. Lemoine
R. Cardinal
Minist. de la Rech. et Technolog.
Cardinal Lemoine
R. des Fossés Saint Bernard
Musée de Minéralogie
Université Paris VI-VII
Pl. de l'Abbé Basset
St Etienne du Mont
Rue Clovis
R. du
Place Jussieu
Jussieu
R. Jussieu
R. Cuvier
5
1
Pl. de l'Estrap.
R. de l'Estrapade
R. d'Ulm
R. P. et M. Curie
Inst. Océanogr.
Institut
Lycée Henry IV
Piscine
R. Rollin
École
Monge
Arènes de Lutèce
R. de Navarre
Pl. E. Mâle
Fac. des Siences
Rue Linné
Ménag
Jardin des Plantes
R. des Irlandais
R. Laromiguière
R. Tournefort
Pl. de la Contrescarpe
Rue Mouffetard
R. Lacépède
Clin. G. St. Hilaire
R. Ortolan
Théâtre Mouffe.
Pl. Monge
Grande Galerie de l'Évolution
Muséum National d'Histoire Naturelle
Institut Curie
R. Lhomond
R. École
Rue Erasme
Lussac
École Normale Supérieure
Pl. L. Herr
R. de la Clef
R. Larrey
Institut Musulman
R. G. Saint Hilaire
École de Phys. et Chim.
R. de Mirbel
R. Daubenton
Rue Censier
Lycée
R. Vauquelin
Rue Claude Bernard
St Roch
R. de l'Arbalète
Censier Daubenton
Rue Poliveau
Institut Agronom.
R. Mouffetard
Université Paris III
R. de la Clef
R. Scipion
Rue du Moulin
Clin. Sport
Rue Marcel
Hôpital Militaire Val de Grâce
R. Berthollet
Rue Monge
Rue du Fer
Sq. Scipion
R. des Lyonnais
R. Broca
Inst. Admin.
R. Pascal
Avenue
Rue Collégiale
R. de la Collégiale
Boulevard Saint Marcel
R. Jeanne d'Arc
R. des Wallons
St Marcel
St Marcel
Clinique Péan
Boulevard de Port Royal
Santé
Sq. d. Port Royal
R. Glacière
R. St Hippolyte
Arago
R. des Gobelins
R. de la Reine Blanche
Le Brun
R. Oudry
R. Pirandello
Ec. de Chimie
Pl. Louis Armstrong
Les Gobelins
Campo Formio
Rue du Banquier
Clin. Villa Isis
R. des Cordelières
Manufacture des Gobelins
Rue des Gobelins
R. Véronèse
R. Rubens
R. de Campo Formio
R. Esquirol
Rue Pinel
Sq. Henri Cadiou
Rue Maurice Nordmann
Hôpital Broca
R. des Tanneries
Mobilier National
Lycée Tech.
R. Croulebarbe
R. Primatice
Boulevard
École Nationale d'Arts et Métiers
R. E. Manet
Av. Stéphan Pichon
Sq. Albin Cachot
Lycée
Rue du Champ de l'Alouette
Lycée Rodin
Square René Le Gall
Rue Vulpian
R. des Reculettes
Rue Hovelacque
Av. de la Sœur Rosalie
Mairie
Place d'Italie
Boulevard
Pl. des Alpes
Ste-Irénée
Lycée Technique Estienne
Ste-Rosalie
R. A. Blanqui
R. P. Gervais
Rue Corvisart
R. P. Guérin
Pl. d'Italie
Deux Moulins
R. A. Bayet
Avenue
Lycée
6
R. Sœur Catherine Marie
Glacière
Auguste Blanqui
Rue Bobillot
Av. d'Italie
Av. de Choisy
R. G. Eastman
Clin. Dent et de Stom.
Theatre 13
R. de la
R. Dantec
R. Barrault
R. Vergniaud
Corvisart
R. Alphand
Diamants
Rue
Vendrezanne
Pl. A. Masson
Parc Choisy
St-Albert Le Grand
Daviel
R. de la Butte

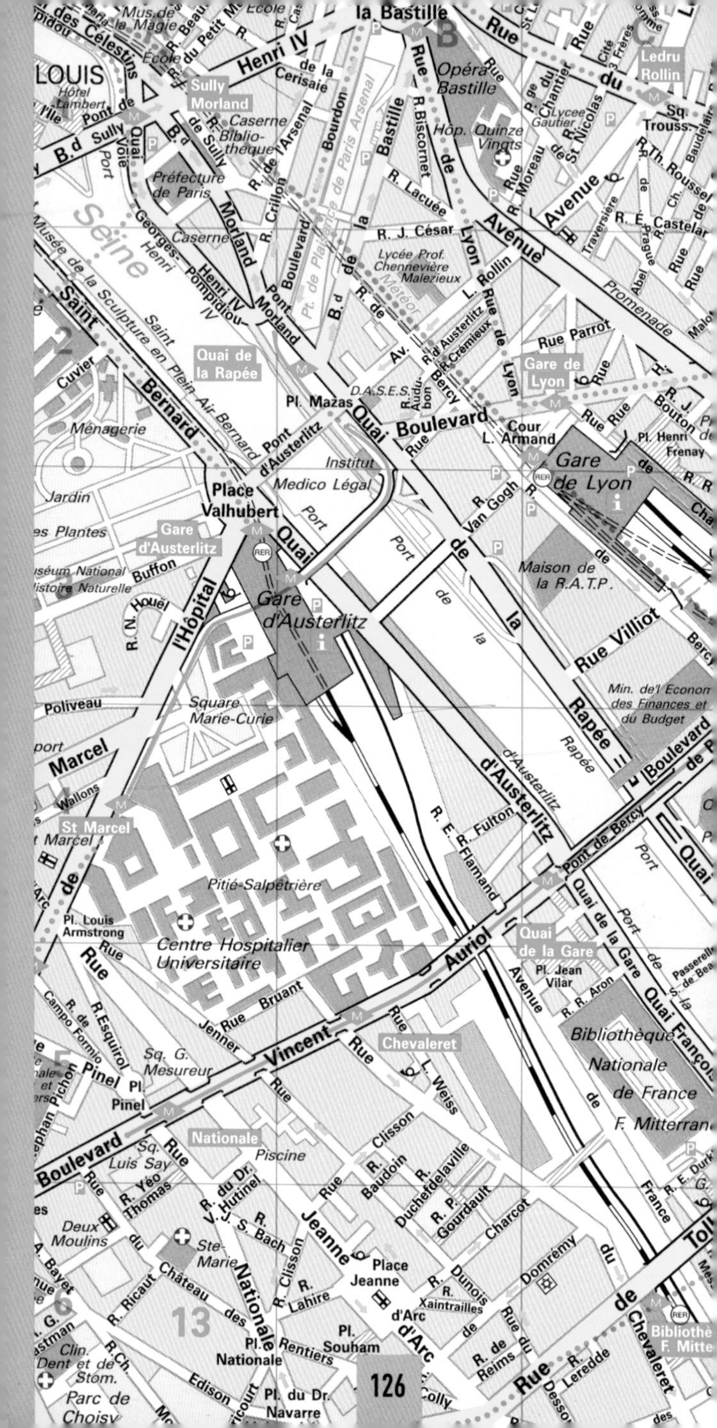
la Bastille
Opéra Bastille
Ledru Rollin
Sully Morland
Hôtel Lambert
Pont de Sully
B.d Sully
Caserne
Bibliothèque
Préfecture de Paris
Rue de Lyon
Hôp. Quinze Vingts
Lycée Gautier
Rue de la Cerisaie
R. Biscornet
R. Lacuée
R. J. César
Lycée Prof. Chennevière Malezieux
Avenue Daumesnil
Promenade Plantée
R. Th. Roussel
R. É. Gilbert
Rue de Charenton
Seine
Quai Henri IV
Boulevard Morland
Pont Morland
Pt. de Plaisance de Paris Arsenal
Boulevard de la Bastille
B.d de la Bastille
Rue Crillon
Rue Parrot
Rue de Lyon
Gare de Lyon
Pl. Mazas
Quai de la Rapée
Musée de la Sculpture en Plein Air
Quai Saint Bernard
Cuvier
Ménagerie
Jardin des Plantes
Pont d'Austerlitz
Place Valhubert
Institut Médico Légal
Boulevard Diderot
Cour L. Armand
Gare de Lyon
Pl. Henri Frenay
R. Van Gogh
Gare d'Austerlitz
Muséum National d'Histoire Naturelle
Buffon
R. N. Houel
Boulevard de l'Hôpital
Maison de la R.A.T.P.
Port de la Rapée
Quai de la Rapée
Rue Villiot
Min. de l'Économie des Finances et du Budget
Square Marie-Curie
Poliveau
Marcel
Wallons
St Marcel
Quai d'Austerlitz
Port d'Austerlitz
R. E. Flamand
R. Fulton
Pont de Bercy
Boulevard de Bercy
Quai de Bercy
Pitié-Salpêtrière
Centre Hospitalier Universitaire
Pl. Louis Armstrong
Quai de la Gare
Pl. Jean Vilar
Quai de la Gare
Port de la Gare
Rue Bruant
Rue Jenner
Boulevard Vincent Auriol
Chevaleret
Rue Esquirol
R. de Campo Formio
Sq. G. Mesureur
Pinel
Pl. Pinel
Nationale
Piscine
Sq. Luis Say
R. Yéo Thomas
R. du Dr. V. Hutinel
R. J. S. Bach
Rue Clisson
R. Baudoin
R. Duchefdelaville
R. P. Gourdault
Rue Charcot
L. Weiss
Avenue de France
Bibliothèque Nationale de France F. Mitterrand
Quai François Mauriac
Passerelle S. de Beauvoir
R. E. Durkheim
Deux Moulins
Ste-Marie
Rue du Château des Rentiers
Rue Jeanne d'Arc
Place Jeanne d'Arc
R. Lahire
R. Xaintrailles
Rue Dunois
Domrémy
Rue de Tolbiac
Rue du Chevaleret
Bibliothèque F. Mitterrand
R. de Reims
R. Leredde
R. Ricaut
R. Ch. Moureu
Clin. Dent et de Stom.
Parc de Choisy
Edison
Pl. Nationale
Pl. Souham
Pl. du Dr. Navarre
Colly
13
2
4
5
6
B
C

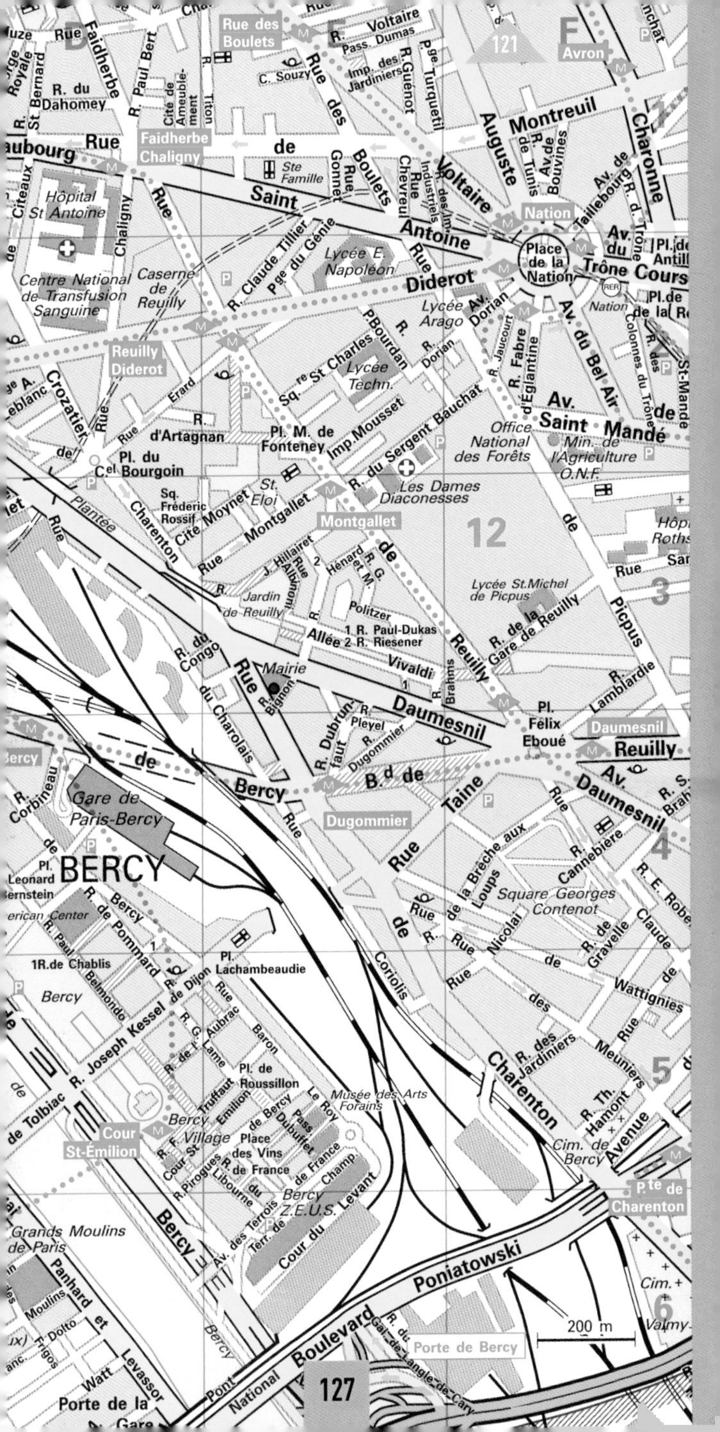
D
E
F
121
Rue des Boulets
Voltaire
Pass. Dumas
Imp. des Jardiniers
R. Guénot
P.ge Turquetil
Avron
C. Souzy
Faidherbe
R. Paul Bert
Cité de Ameublement
R. Titon
R. du Dahomey
St Bernard
Faidherbe Chaligny
Rue de Montreuil
Auguste
R. de Tunis
Av. de Bouvines
Charonne
Faubourg Saint Antoine
Ste Famille
Rue Gonnet
Rue Chevreul
Industriels
Voltaire
Nation
Av. de Taillebourg
R. du Trône
Hôpital St Antoine
Chaligny
Citeaux
Lycée E. Napoléon
R. Claude Tillier
P.ge du Génie
Place de la Nation
Av. du Trône
Cours
Centre National de Transfusion Sanguine
Caserne de Reuilly
Diderot
Lycée Arago
Av. Dorian
R. Jaucourt
R. Fabre d'Églantine
Av. du Bel Air
Colonnes du Trône
Pl. de la Nation
Reuilly Diderot
Crozatier
Sq. St Charles
P. Bourdan
Lycée Techn.
R. Dorian
Av. Saint Mandé
Erard
R. d'Artagnan
Pl. M. de Fontenoy
Imp. Mousset
R. du Sergent Bauchat
Office National des Forêts
Min. de l'Agriculture O.N.F.
Pl. du Cel Bourgoin
Plantée
Sq. Fréderic Rossif
Cité Moynet
St. Eloi
Rue Montgallet
Les Dames Diaconesses
Montgallet
12
Charenton
Rue de Reuilly
Picpus
J. Hillairet
Rue Albinoni
Hénard
R. G. et M. Politzer
Jardin de Reuilly
Lycée St.Michel de Picpus
3
1 R. Paul-Dukas
Allée 2 R. Riesener
Vivaldi
R. de la Gare de Reuilly
R. du Congo
Rue du Charolais
Mairie
R. Bignon
R. Dubrunfaut
R. Pleyel
R. Dugommier
Daumesnil
R. Brahms
Pl. Félix Eboué
Daumesnil
Reuilly
R. Lamblardie
Av. Daumesnil
Bercy
de
Bercy
B.d de
Gare de Paris-Bercy
R. Corbineau
Dugommier
Rue Taine
BERCY
Pl. Leonard Bernstein
American Center
Rue de la Brèche aux Loups
Square Georges Contenot
R. Cannebière
R. E. Robe
4
Claude
Rue de Bercy
R. de Pommard
R. Paul Belmondo
1R. de Chablis
Pl. Lachambeaudie
Coriolis
Rue Nicolaï
R. de Gravelle
Rue de Wattignies
Bercy
R. de Dijon
R. Joseph Kessel
R. G. Lame
R. de l'Aubrac
Rue Baron
Pl. de Roussillon
Rue des Meuniers
R. des Jardiniers
Charenton
5
R. Th. Hamont
de Tolbiac
R. Truffaut
Émilion
Bercy Village
Cour St
Place des Vins de France
Musée des Arts Forains
Le Roy
Pass. Dubuffet
Cim. de Bercy
Avenue
Cour St-Émilion
R. Pirogues
R. de Libourne
Cour du Champ
Bercy Z.E.U.S.
Cour du Levant
P.te de Charenton
Grands Moulins de Paris
Bercy
Av. des Terroirs de France
Poniatowski
Cim.
6
Panhard et Levassor
Moulins
Dolto
Frigos
Watt
Pont
National
Boulevard
R. du Gal de Langle de Cary
Porte de Bercy
200 m
Valmy
Porte de la Gare

Les Arrondissements de Paris
A
B
C
1
2
3
4
5
6
LA GARENNE-COLOMBES
COURBEVOIE
La Défense
PUTEAUX
ASNIÈRES-S-S
CLICHY
LEVALLOIS-PERRET
NEUILLY-S-SEINE
Batignolles 17
Élysée 8
Passy 16
Palais de Bourbon 7
15 Vaugirard
Observ
Bois de Boulogne
BOULOGNE-BILLANCOURT
ISSY-LES-MOULINEAUX
VANVES
MALAKOFF
MONTROUGE
MEUDON
CLAMART
CHATILLON
Bois de Clamart
Seine
Porte de Clichy
Porte d'Asnières
Porte de Champerret
Porte Maillot
Palais des Congrès
Porte Dauphine
Arc de Triomphe
Place Charles de Gaulle
Palais de l'Élysée
Ste-Madeleine
Grand Palais
Petit Palais
Place de la Concorde
Obé
Palais de Chaillot
Tour Eiffel
Hôtel des Invalides
École Militaire
Maison de Radio France
Porte de la Muette
Porte de Passy
Hippodrome d'Auteuil
Porte d'Auteuil
Porte Molitor
Stade du Parc des Princes
Porte de St-Cloud
Gare Montparnasse
Quai d'Issy
Porte de Sèvres
Porte de la Plaine
Porte Brancion
Porte de Vanves
Porte de Châtillon
Porte d'Orléa
N 308
N 310
N 410
N 309
N 13
N 187
N 185
A 13
N 307
N 10
N 189
N 306

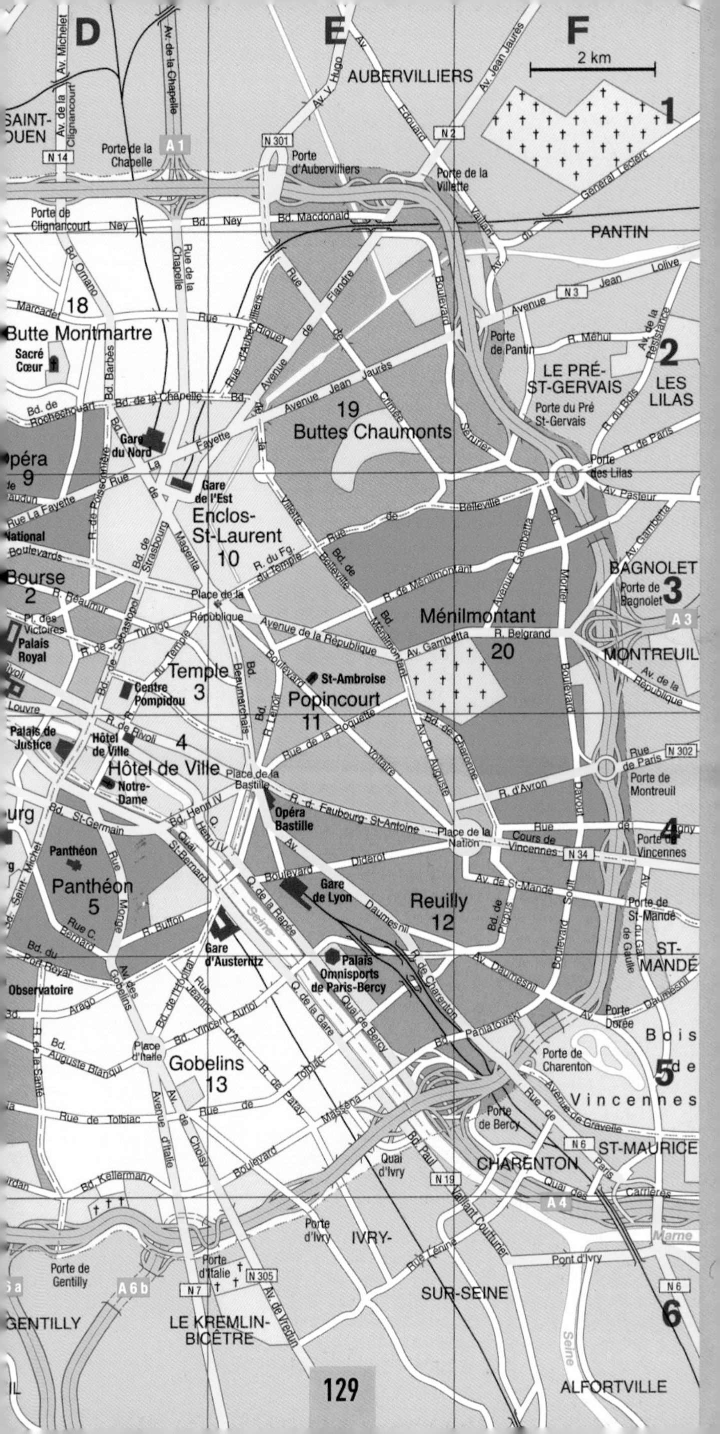
D
E
F
2 km
1
2
3
4
5
6
AUBERVILLIERS
SAINT-
OUEN
PANTIN
LE PRÉ-
ST-GERVAIS
LES
LILAS
BAGNOLET
MONTREUIL
ST-
MANDÉ
ST-MAURICE
CHARENTON
IVRY-
SUR-SEINE
ALFORTVILLE
GENTILLY
LE KREMLIN-
BICÊTRE
Bois de Vincennes
Butte Montmartre
18
Sacré
Cœur
19
Buttes Chaumonts
Enclos-
St-Laurent
10
Ménilmontant
20
Temple
3
Popincourt
11
Hôtel de Ville
4
Panthéon
5
Reuilly
12
Gobelins
13
Bourse
2
Opéra
9
Gare
du Nord
Gare
de l'Est
Place de la
République
Place de la
Bastille
Place de la
Nation
Place
d'Italie
Gare
de Lyon
Gare
d'Austerlitz
Opéra
Bastille
Palais
Omnisports
de Paris-Bercy
St-Ambroise
Centre
Pompidou
Hôtel
de Ville
Notre-
Dame
Palais de
Justice
Palais
Royal
Panthéon
Observatoire
Porte de la
Chapelle
Porte de
Clignancourt
Porte
d'Aubervilliers
Porte de la
Villette
Porte
de Pantin
Porte du Pré
St-Gervais
Porte
des Lilas
Porte de
Bagnolet
Porte de
Montreuil
Porte de
Vincennes
Porte de
St-Mandé
Porte
Dorée
Porte de
Charenton
Porte
de Bercy
Porte
d'Ivry
Porte
d'Italie
Porte de
Gentilly
Quai
d'Ivry
Seine
Marne
A 1
A 3
A 4
A 6 b
N 14
N 301
N 2
N 3
N 302
N 34
N 6
N 19
N 305
N 7
Av. Michelet
Av. de la Clignancourt
Av. de la Chapelle
Av. V. Hugo
Av. Jean Jaurès
Edouard Vaillant
Av. du Général Leclerc
Bd. Ney
Bd. Macdonald
Bd. Ornano
Rue de la Chapelle
Rue Marcadet
Rue Riquet
Rue d'Aubervilliers
Avenue de Flandre
Rue de Crimée
Boulevard Sérurier
Avenue Jean Jaurès
Avenue Jean Lolive
R. Méhul
Av. de la Résistance
R. du Bois
R. de Paris
Bd. Barbès
Bd. de la Chapelle
Bd. de Rochechouart
Bd. Magenta
La Fayette
Rue La Fayette
R. de Poissonnière
Bd. de Strasbourg
Bd. de la Villette
Rue de Belleville
Av. Pasteur
Av. Gambetta
Avenue Gambetta
Bd. Mortier
R. du Fg. du Temple
Bd. de Belleville
R. de Ménilmontant
Bd. Ménilmontant
R. Belgrand
Av. de la République
Avenue de la République
Boulevard Davout
R. Beaumur
Pl. des Victoires
Turbigo
Bd. de Sébastopol
R. du Temple
Bd. Beaumarchais
Boulevard Voltaire
Bd. Lenoir
Rue de la Roquette
Bd. de Charonne
Av. Ph. Auguste
R. d'Avron
Rue de Bagny
Cours de Vincennes
R. de Rivoli
Rivoli
Louvre
Bd. Henri IV
Q. Henri IV
R. d. Faubourg St-Antoine
Bd. St-Germain
Bd. Saint-Michel
Quai St-Bernard
Rue Monge
Rue C. Bernard
R. Buffon
Q. de la Rapée
Av. Daumesnil
Boulevard Diderot
Av. de St-Mandé
Bd. de Picpus
Boulevard Soult
Bd. du Général de Gaulle
Bd. du Port Royal
Av. des Gobelins
Bd. de l'Hôpital
Rue Jeanne d'Arc
Bd. Vincent Auriol
Q. de la Gare
Quai de Bercy
R. de Charenton
Bd. Poniatowski
Arago
Bd. Auguste Blanqui
R. de la Santé
R. de Patay
Tolbiac
Rue de Tolbiac
Avenue d'Italie
Av. de Choisy
Boulevard Masséna
Bd. Kellermann
Bd. Paul Vaillant Couturier
Rue de Paris
Avenue de Gravelle
Quai des Carrières
Rue Lénine
Pont d'Ivry
Av. de Verdun

Het register bevat een keuze van de straten en pleinen op de stadsplattegrond

STRAATNAMENREGISTER

STRAATNAMENREGISTER

LEGENDA STADSPLATTEGROND

Autoroute Autobahn	Motorway Autosnelweg
Route à quatre voies Vierspurige Straße	Road with four lanes Vierbaansweg
Route à grande circulation Fernstraße	Trunk road Doorgaande weg
Route principale Hauptstraße	Main road Hoofdweg
Autres routes Sonstige Straßen	Other roads Overige wegen
Rue à sens unique Einbahnstraße	One-way street Straat met eenrichtingsverkeer
Zone piétonne Fußgängerzone	Pedestrian zone Voetgangerszone
Information - Parking Information - Parkplatz	Information - Parking place Informatie - Parkeerplaats
Chemin de fer principal avec gare Hauptbahn mit Bahnhof	Main railway with station Belangrijke spoorweg met station
Autre ligne Sonstige Bahn	Other railway Overige spoorweg
Gare RER RER-Bahnhof	RER Station RER-station
Métro U-Bahn	Underground Metro
Église remarquable - Autre église Sehenswerte Kirche - Sonstige Kirche	Church of interest - Other church Bezienswaardige kerk - Andere kerk
Synagogue - Mosquée Synagoge - Moschee	Synagogue - Mosque Synagoge - Moskee
Monument - Auberge de jeunesse Denkmal - Jugendherberge	Monument - Youth hostel Monument - Jeugdherberg
Poste de police - Bureau de poste Polizeistation - Postamt	Police station - Post office Politiebureau - Postkantoor
Hôpital - Bus d'aéroport Krankenhaus - Flughafenbus	Hospital - Airport bus Ziekenhuis - Luchthavenbus
Zone bâtie, bâtiment public Bebauung, öffentliches Gebäude	Built-up area, public building Bebouwing, openbaar gebouw
Zone industrielle Industriegelände	Industrial area Industrieterrein
Parc, bois - Cimetière Park, Wald - Friedhof	Park, forest - Cemetery Park, bos - Begraafplaats
Promenades en ville Stadtspaziergänge	Walking tours Stadswandelingen

REGISTER

In dit register vindt u alle in deze gids genoemde bezienswaardigheden en ook enkele belangrijke straten en pleinen. Vetgedrukte bladzijdenummers verwijzen naar een uitgebreide bespreking, cursieve naar een foto.

COLOFON

Omslagfoto: Rozen voor de Eiffeltoren (alamy/fStop: Schulz)
Foto's: 4 Rous Sous 1 Parapluie (101 b.l.); alamy/fStop: Schulz (1); ASM (101 m.r.); Claire Denamur: Cédric Riverain (14 b.); cutlog: Anne Claire Tonson La Tour (14 o.); Detaille: Louis Pallier (13 b.); Les Écrans de Paris: Michael Krug (15 b.); Ethos Paris, Inc (13 o.); fotolia.de: Martin Wdowski (101 b.r.); R. Freyer (binnenzijde voorflap m., 3 m., 11, 22/23, 40, 48, 56/57, 67, 76/77, 78, 86/87, 93, 97); Lea Geitlinger (12 b.); Groupe Frères Blanc (14 m.); Patrick Hamon (101 m.l.); Huber: Achmann (68/69, 81), Cristofori (46), Damm (2 l.), Ripani (8/9, 33, 55), Stadler (6/7, 16/17); ©iStockphoto.com: jeancliclac (100 m.l.), ShyMan (100 b.l.), WiCo (100 o.r.); H. Krinitz (binnenzijde voorflap l., 2 r., 3 l., 4 l., 4 r., 5, 20, 20/21, 39, 42, 43, 44, 52, 58, 62, 71, 72, 74, 99, 104); Laif: Celentano (61, 91), Hemispheres (21, 26, 51, 75, 84), RAPHO (83); le 19ème Trou: SKÖYP (15 o.); Look: travelstock44 (94/95); Mama Shelter: Francis Amiand (12 o.); Meeting the French: L. Monclard (100 m.r.); C. Naundorf (3 r., 19, 29, 35, 36, 50, 65, 66, 70, 88); Naundorf/Siegmann (binnenzijde voorflap r., 34)

6. (20.), aktualisierte Auflage 2010

Ontwerp/lay-out: Zum goldenen Hirschen, Hamburg
Cartografie stadsplattegronden: Falk Verlag; Hallwag – Kümmerly + Frey AG, CH-Schönbühl/Bern
www.marcopolo.de

27ste herziene druk 2011

Boekverzorging: *de Redactie*, Amsterdam
Vertaling: Johan de Bakker en Jacqueline Toscani
Bewerking: Gerard M.L. Harmans en Paul Krijnen
Opmaak: ZetSpiegel, Best

ISBN 978 90 475 0527 3
NUR 512

Van Reemst maakt deel uit van Uitgeverij Unieboek | Het Spectrum bv,
Postbus 97
3990 DB Houten
www.unieboekspectrum.nl